Femmes et médias :

une image partiale et partielle

Collection « Inter-National »

dirigée par Denis Rolland avec
Joëlle Chassin et Françoise Dekowski

Cette collection a pour vocation de présenter les études les plus récentes sur les institutions, les politiques publiques et les forces politiques et culturelles à l'œuvre aujourd'hui. Au croisement des disciplines juridiques, des sciences politiques, des relations internationales, de l'histoire et de l'anthropologie, elle se propose, dans une perspective pluridisciplinaire, d'éclairer les enjeux de la scène mondiale et européenne.

Série premières synthèses – jeunes chercheurs (dernières parutions) :

Édouard BOINET, *Hydropolitique du Nil, Du conflit à la coopération ?*, 2012.

Milena DIECKHOFF, *L'individu dans les relations internationales, Le cas du médiateur Martti Ahtisaari*, 2012.

Odile TANKERE, *La conservation du mobilier archéologique : un enjeu scientifique, culturel et social*, 2012. Concours Sciences-Po 2011-2012.

Barbara ATLAN, *Politiques, affichez-vous !*, 2012. Concours Sciences-Po 2011-2012.

Louis LE BRIS, *Le Western. Grandeur ou décadence d'un mythe ?*, 2012.

Marie NEIHOUSER, *La défense des intérêts régionaux en Europe*, 2011.

Aurélien LLORCA, *La France face à la cocaïne. Dispositif et action extérieurs*, 2010.

Guillaume BREUGNON, *Géopolitique de l'Arctique nord-américain : enjeux et pouvoirs*, 2011.

Estelle POIDEVIN, *L'Union européenne et la politique étrangère. Le haut représentant pour la politique étrangère et de sécurité commune : moteur réel ou leadership par procuration (1999-2009) ?*, 2010.

Namie DI RAZZA, *L'ONU en Haïti depuis 2004*, 2010.

M. HOBIN, S. LUNET, *Le Dragon taiwanais : une chance pour les PME françaises.*

A. MARTIN PEREZ, *Les étrangers en Espagne.*

A. CEYRAT, *Jamaïque. La construction de l'identité noire depuis l'indépendance.*

D. CIZERON, *Les représentations du Brésil lors des Expositions universelles.*

J. FAURE et D. ROLLAND (dir.), *1968 hors de France.*

A. PURIERE, *Assistance et contrepartie. Actualité d'un débat ancien.*

G. BREGAIN, *Syriens et Libanais d'Amérique du Sud (1918-1945).*

Clara Bamberger

Femmes et médias :
une image partiale et partielle

préface de **Mariette Sineau**

L'Harmattan

© L'HARMATTAN, 2012
5-7, rue de l'École-Polytechnique ; 75005 Paris

http://www.librairieharmattan.com
diffusion.harmattan@wanadoo.fr
harmattan1@wanadoo.fr

ISBN : 978-2-296-99800-1
EAN : 9782296998001

À ma famille bien-aimée

« La femme n'est victime d'aucune mystérieuse fatalité : il ne faut pas conclure que ses ovaires la condamnent à vivre éternellement à genoux. »

Simone de Beauvoir

Préface

Sur un sujet capital, la représentation des femmes par les médias, Clara Bamberger montre, à travers une analyse acérée et originale, comment et pourquoi les médias français participent au renforcement des inégalités entre femmes et hommes. La ségrégation horizontale et verticale entre les sexes, qui structure la profession, tout comme les contraintes qui pèsent sur le métier de journaliste expliquent le phénomène.

Entre tyrannie de l'urgence, poids des routines et écriture nécessairement bridée, Clara Bamberger donne à voir comment la marge de liberté du journaliste est plus réduite qu'on ne se l'imagine. En outre, elle met en avant les limites de la féminisation accrue du journalisme, qui n'est pas venue modifier l'image des femmes diffusée par les médias. La faute en incombe notamment aux contraintes structurelles qui pèsent sur le métier.

Ce constat est d'autant plus problématique que les médias disposent d'une formidable capacité – aussi subtile que puissante – à modeler la réalité sociale et à construire notre inconscient collectif. Puisque les médias disposent de pouvoirs constructivistes et performatifs, leur responsabilité est donc essentielle dans la représentation des rapports sociaux de sexe. Comprendre les mécanismes de fabrication de la *doxa* constitue dès lors une condition *sine qua non* pour espérer la transformer.

Aussi Clara Bamberger nous donne-t-elle les clés de compréhension des codes de fonctionnement du système médiatique. Mais pas seulement. Elle cherche également des voies d'amélioration pour faire en sorte que les femmes soient présentées de façon plus équilibrée dans les médias d'information, en formulant un ensemble de recommandations opérationnelles s'adressant à l'ensemble des parties prenantes concernées par la question des représentations médiatiques : médias, écoles de journalisme, instances de régulation et pouvoirs publics.

Je recommande la lecture de ce mémoire écrit d'une plume alerte et qui apporte beaucoup aux études de genre.

Mariette Sineau,
Directrice de recherche CNRS
au Centre de Recherches Politiques de Sciences Po.

Introduction

Il est parfois des inégalités si criantes que la société finit paradoxalement par ne plus y prêter attention. Comme l'écrivait si justement Simone de Beauvoir, « *ce qu'il y a de scandaleux, dans le scandale, c'est qu'on s'y habitue* ». Aussi ce mémoire de recherche est-il né avec l'idée de rendre compte d'une inégalité majeure à laquelle la société semble s'être habituée : celle de la représentation médiatique des femmes.

Non-sujet pour certains, cette question s'avère pourtant nodale dans une perspective de promotion de la parité. Toute politique en faveur de l'égalité entre hommes et femmes ne saurait en effet se révéler efficace si elle n'agit pas en premier lieu sur les racines du mal sexiste, à savoir les mentalités. Or comment se construisent ces dernières? Si chacun aime à se rassurer en se persuadant que les médias ne disposent d'aucune influence sur sa façon de penser, cette illusion ne saurait résister à l'épreuve des faits. C'est que les représentations symboliques qui s'inscrivent inconsciemment dans nos esprits par le biais des médias façonnent, pour une part certaine, notre façon de percevoir et d'appréhender le monde – notre orgueil dût-il en souffrir.

C'est pourquoi les médias disposent d'une responsabilité éminente dans la société d'information et de communication qui est la nôtre. Cette responsabilité, c'est d'abord celle de veiller à ce que les contenus qu'ils diffusent ne contribuent pas à renforcer dans l'imaginaire collectif des représentations stéréotypées qui viennent figer des groupes à une place arbitrairement déterminée par des normes sociales. Or, à voir l'image actuelle des femmes diffusée par les médias, il semble bien que le quatrième pouvoir ne se montre pas à la hauteur de la responsabilité qui lui incombe. Il s'agira en effet d'étudier le décalage frappant entre la pluralité des vies des femmes et les clichés médiatiques qui leur sont assignés.

Malgré ce problème structurel qui appelle une réponse politique, tout se passe comme si, jusqu'à récemment, la question de l'image des femmes telle qu'elle est diffusée par les

13

médias avait constitué « la grande oubliée » des politiques en faveur de la parité. Ces dernières se sont en effet essentiellement tournées vers la diminution des inégalités hommes/femmes dans la vie professionnelle et l'accès des femmes aux responsabilités électives. Mais aussi fondamentaux que soient ces objectifs, les acteurs politiques se sont progressivement rendus compte que ces ambitions ne sauraient être atteintes si elles ne s'accompagnaient pas parallèlement d'un travail sur les représentations médiatiques des femmes.

C'est ainsi que, ces dernières années, des rapports parlementaires ont été rédigés sur la question : la sénatrice Gisèle Gautier, au nom de la délégation aux droits des femmes, a ouvert la voie en juillet 2007 à travers son rapport sur « Femmes et hommes dans les médias », suivie de Michèle Reiser, présidente de la commission de réflexion sur « l'image des femmes dans les médias », dont les travaux ont abouti à un rapport de synthèse en septembre 2008. Ce rapport s'intéresse à l'image de la femme diffusée aussi bien par les médias traditionnels que la publicité, les jeux vidéo, Internet, etc…

Mais, dans un souci de clarté, nous nous concentrerons uniquement dans ce travail sur l'image des femmes telle qu'elle est diffusée par les médias d'information (télévision, radio, presse écrite). Nous n'évoquerons donc pas la représentation des femmes dans les émissions de divertissement, quoi qu'il y aurait beaucoup à dire. Mais ce parti pris de nous focaliser sur l'information n'est pas anodin, car cette dernière a vocation à prétendre, sinon à l'objectivité, du moins au réalisme des faits – un objectif que ne s'assignent pas les émissions de divertissement. Les journalistes, plus encore que les animateurs de shows télévisés, se retrouvant donc devant l'exigence de diffuser une image de la femme réaliste et non pas éculée, il est intéressant d'analyser leur travail de plus près.

Dans un premier temps, nous verrons comment les inégalités hommes/femmes se trouvent renforcées par les médias d'information, tant d'un point de vue quantitatif – en termes de visibilité à l'antenne ou dans les colonnes des journaux – que qualitatif – en termes de représentations médiatiques. Puis, dans un second temps, nous nous pencherons sur les processus journalistiques qui aboutissent à ces inégalités. Autrement dit, d'où vient cette représentation médiatique des femmes ? D'une part, il s'agira de rendre compte de l'ensemble des contraintes qui pèsent sur la profession de journaliste et qui favorisent une vision biaisée des femmes. D'autre part, nous mettrons en avant les limites du phénomène de féminisation du journalisme, qui n'a pour l'instant guère permis de remettre en cause l'image des femmes telle qu'elle est diffusée par les médias. Enfin, nous formulerons des recommandations pour changer la donne, car si des difficultés structurelles existent, des voies d'issue existent aussi.

Première partie

Les femmes représentées par les médias : une image partiale et partielle

Dans cette première partie, il s'agira d'analyser en quoi les médias français, à travers certaines représentations stéréotypées des femmes qu'ils renvoient, participent au renforcement des inégalités de traitement hommes/femmes. Tout d'abord, nous rendrons compte, à travers une approche aussi bien quantitative (1) que qualitative (2), de la façon dont les femmes se retrouvent discriminées par les médias d'information. Nous montrerons ensuite en quoi ce constat est d'autant plus problématique que les médias disposent d'une formidable capacité – aussi subtile que puissante – à modeler la réalité sociale et à construire notre inconscient collectif (3).

Afin de déterminer les différentes formes d'inégalités dont sont victimes les femmes dans les médias d'information, nous allons notamment nous fonder sur les données quantitatives de plusieurs études faisant autorité sur le sujet. Au mois de mars 2008, Michèle Reiser, membre du Conseil Supérieur de l'Audiovisuel (CSA) a été chargée par Valérie Létard, alors secrétaire d'Etat à la solidarité, de présider une « commission de réflexion sur l'image des femmes dans les médias ». De cette commission a découlé un rapport[1], auquel nous ferons référence pour étayer notre propos. Nous nous appuierons également sur les données françaises du Projet mondial de monitorage des médias (GMMP)[2] de 2010. Ce projet, parrainé par l'UNIFEM (United Nations Development Fund for Women), constitue actuellement la plus ambitieuse recherche au niveau mondial

---

[1] Michèle Reiser, Brigitte Grésy, *L'image des femmes dans les médias*, La Documentation française (2008)
http://www.travail-emploi-sante.gouv.fr/IMG/pdf/RAPPORT_IMAGE_DES_FEMMES_VF.pdf
[2] Projet mondial de monitorage des médias (GMMP) 2010 – rapport national France :
http://www.whomakesthenews.org/images/stories/restricted/national/france.pdf

ayant trait à la question de l'image des femmes diffusée par les médias d'information. Tous les cinq ans, depuis 1995, le GMMP analyse les évolutions de la représentation des femmes dans les contenus médiatiques de 108 pays, aussi bien d'un point de vue quantitatif (ex. : temps de parole des femmes interviewées) que qualitatif (ex. : les femmes interviewées le sont-elles en simples qualités de témoins ou d'expertes ?). Aussi s'agira-t-il pour nous d'analyser les résultats obtenus par les médias français.

Notre sujet, dans ce chapitre, n'est donc pas d'analyser la place des femmes dans la production de l'information (nombre de journalistes femmes dans les rédactions, statuts occupés par celles-ci…), mais bien dans son contenu : quelle est l'image des femmes renvoyée par les médias ? Quelle place et quel statut leur sont accordés dans les différents sujets télévisés, émissions de radio, articles de journaux, comparativement aux hommes ? Cette place correspond-elle à celle qui est véritablement la leur dans la société ? Autrement dit, des inégalités dans le traitement de l'information sont-elles à l'œuvre ? Nous nous placerons donc du côté du récepteur de l'information, en analysant la qualité du contenu qu'il reçoit.

Afin de développer son analyse sur l'image des femmes dans les médias français, la Commission Reiser a analysé, pour la journée du 15 mai 2008, un échantillon représentatif des médias français d'information :

- Pour la télévision, la Commission s'est penchée sur divers journaux télévisés : le JT de 13H de *TF1* ; le JT de 20H de *France 2* ; le JT de 23H de *France 3* ; le JT de 19H50 de *M6* ; le JT de 19H45 d'*Arte* ; les Guignols de *Canal+*.
- Pour la presse mixte, ont été étudiés les quotidiens *20 minutes*, *Ouest France* (Lorient), *Le Parisien*, *Le Figaro*, *Le Monde*, *Libération* et les hebdomadaires *Paris Match*, *Le Nouvel Observateur* et *L'Express*.
- Pour les radios d'information, les matinales (« les 7H-9H ») de *France Inter* et de *RTL* ont été passées au crible.

Retenir, comme l'a fait la Commission, la date du 15 mai 2008 comme jour d'analyse de la place des femmes dans les médias, n'a pas été le fait du hasard. Ce jour correspondant à celui d'une grève au sein de la profession enseignante, majoritairement féminine, la Commission a voulu voir comment les médias rendraient compte de cet événement. Comme l'explique en effet le rapport Reiser, avec la grève surgit inévitablement « *la question de la garde des enfants et donc invite les journalistes à traiter d'un sujet de société très centré sur la traditionnelle sphère d'activité féminine* » (p. 37, *op. cit.*). Il en découle dès lors que « *ce risque de survalorisation de sujets dits féminins ne rendra que plus forts d'éventuels écarts repérés en faveur de la représentation masculine* » (*ibid.*).

Afin d'analyser les différences de traitement entre hommes et femmes par les médias, la Commission Reiser ne s'est pas contentée de comptabiliser le taux de présence des femmes dans les sujets des reportages des JT (*i.e.* le nombre de femmes que l'on aperçoit dans le sujet). En effet, ce critère a ceci de naturellement biaisé que, s'il y a, par exemple, un reportage sur le phénomène des *traders* à la City londonienne, le fait est que l'immense majorité d'entre eux sont des hommes ; aussi le journaliste cherchant à refléter cette réalité est-il bien obligé de la restituer en montrant davantage d'hommes dans son reportage. Le journaliste étant censé délivrer une information, il est logique qu'il s'appuie sur la réalité telle qu'elle est – aussi inégale qu'elle puisse être. Ainsi, tout reportage traitant de questions relatives aux « pouvoirs » – qu'ils soient économique, financier, politique – se caractérise inévitablement par une plus forte présence d'hommes, par le simple fait que ces derniers détiennent majoritairement ces pouvoirs. Cela étant, rien n'interdit à un journaliste de mentionner dans son reportage la faible présence de femmes dans un milieu donné, et d'en chercher les causes en en interviewant certaines...

Ainsi, analysé de façon globale, ce critère de « taux de présence » des femmes à l'antenne garde sa pertinence. En effet, les femmes représentant plus de la moitié de la population française (51 %), il sera intéressant de constater si les sujets journalistiques les mentionnant sont à la hauteur – tant quantitativement que qualitativement – de l'importance qu'elles occupent dans la société. Prenons un exemple : les femmes représentent 39 % des médecins français. Imaginons qu'une enquête montre que, sur un échantillon représentatif de médias, 94 % des médecins interviewés sont des hommes. Alors on pourrait parler d'une inégalité de traitement hommes/femmes à partir de ce taux de présence, car rien ne justifie en effet un tel décalage entre la place effective qu'occupent les femmes dans le corps des médecins (39 %) et le discrédit d'office qui leur est accordé (avec 6 % seulement d'interventions).

Une précision s'impose ici d'emblée : il ne s'agit surtout pas, dans notre étude, d'essentialiser les femmes et de prôner un différentialisme qui voudrait que l'être humain soit d'abord et avant tout considéré à partir de son sexe, comme s'il s'agissait de son unique critère d'appartenance et de l'élément structurant qui définit son identité avant tout autre chose. Tout être se construit à partir d'éléments multiples, dont le sexe n'est qu'une composante parmi d'autres. Une femme médecin, si elle est interviewée, doit l'être en tant que médecin, et non en tant que femme. Il s'agit de faire appel à son expertise, son savoir, et non de l'enfermer dans sa qualité de « femme », qui s'exprime d'ailleurs différemment pour chacune d'entre elles. Dès lors la recherche d'une image plus juste des femmes dans les médias ne doit pas se comprendre comme une guerre des sexes, mais bien comme un objectif citoyen à même de fédérer tous les hommes et les femmes attachés aux questions de non-discrimination. De la même façon que le combat pour l'égalité salariale professionnelle entre hommes et femmes ne s'appuie pas sur des principes différentialistes mais sur le seul principe républicain d'égalité entre citoyens, la recherche de l'égalité de traitement hommes/femmes au niveau médiatique s'appuie sur ce même socle de valeurs.

La question de l'image des femmes dans les médias n'est donc pas une revendication catégorielle correspondant à des intérêts de groupe, en l'occurrence les femmes, mais bien une problématique dont la sphère politique s'est saisie précisément parce qu'elle a trait au respect des valeurs universelles de la République. La représentation des femmes dans les médias devrait donc théoriquement constituer un sujet de réflexion et de préoccupation pour chaque citoyen, et non pas pour les seules femmes, même si, en pratique, ce sont ces dernières qui se retrouvent le plus souvent en première ligne pour montrer leur attachement à cette problématique. Ceci s'explique par ce que les sociologues Eric et Didier Fassin appellent subtilement le « paradoxe minoritaire », à savoir l'obligation, pour toute minorité, de « parler *en tant que* pour refuser d'être traité *comme* »[3]. Les femmes ne constituent pas une minorité visible, mais le raisonnement vaut également pour elles : elles se retrouvent contraintes de parler *en tant que* femmes pour refuser d'être discriminées *comme* femmes. Pour reprendre l'exemple de la femme médecin qui ne serait pas interviewée *parce que* femme, elle est obligée de mettre en avant sa qualité de femme pour pouvoir dire : « je refuse que par le simple fait que je sois une femme, je sois empêchée de m'exprimer comme médecin ».

Il s'agit donc bien d'une revendication à teneur politique, et non pas identitaire : l'objet n'est pas la reconnaissance de droits spécifiques pour les femmes, mais la seule quête de l'égalité de statut. Autrement dit, ce combat pour l'égalité hommes/femmes dans les médias est anti-différentialiste par excellence, puisqu'il repose sur l'idée que la qualité de femme d'une personne ne doit nullement l'empêcher d'être traitée comme un *homo politicus* comme un autre. D'où la conclusion du philosophe Jacques Rancière : « *on peut sortir du débat sans issue entre universalité et identité* », lorsque notre « *seul universel politique est l'égalité* », laquelle « *n'est pas l'œuvre d'une identité en acte ou la démonstration des valeurs spécifiques d'un groupe* »[4].

Revenons donc à notre enquête. Outre sa gestion du « taux de présence » hommes/femmes à l'antenne, le journaliste dispose de marges de manœuvre certaines dans son traitement de l'information, et ce sont celles-ci qu'il conviendra d'étudier en détail pour rendre compte des discriminations opérées par les médias. Rien n'oblige en effet un journaliste à laisser par définition la parole plus longtemps à un homme qu'à une femme ; à mentionner le nom complet du premier et seulement

---

[3] Didier Fassin, Eric Fassin (dir.), *De la question sociale à la question raciale ? Représenter la société française*, Paris, La Découverte, Cahiers libres, 2006, p. 253.
[4] Jacques Rancière, *Aux bords du politique*, Paris, Gallimard, Folio Essais, 1998, pp. 116-118.

le prénom de la seconde ; ou à établir des distinctions de statut et de rôle lorsqu'elles n'existent pas. Voyons ce qu'il en est à partir des résultats obtenus le 15 mai 2008 par l'échantillon représentatif de médias français composé par la Commission Reiser (présenté *supra*).

Chapitre 1

Presse, télévision, radio : discrétion des femmes dans les contenus médiatiques

1. Dans la presse, beaucoup moins d'articles sont consacrés aux femmes qu'aux hommes

En reprenant le corpus composé par les quotidiens *20 minutes* , *Ouest France* (Lorient), *Le Parisien*, *Le Figaro*, *Le Monde*, *Libération* et les hebdomadaires *Paris Match*, *Le Nouvel Observateur* et *L'Express* pour la journée du 15 mai 2008, on se rend compte que le taux de présence des femmes dans les journaux, c'est-à-dire le nombre d'articles où une femme constitue spécifiquement l'objet de l'écriture (par exemple pour un portrait, une interview, une enquête....), est plus de trois fois inférieur au taux de présence des hommes. En effet, après avoir passé en revue la totalité des articles du corpus dans chacune des rubriques des différents journaux (politique, société, international, économie, personnes célèbres, culture, sport, etc.), la Commission Reiser aboutit à un pourcentage de 11% d'articles sur les femmes contre 36% pour les hommes – les 53% restants constituant des articles dits « mixtes », dans lesquels sont mentionnés des gens des deux sexes. On trouvera ci-dessous un tableau récapitulant ces résultats en fonction des divers journaux observés :

Répartition des articles dans la presse mixte

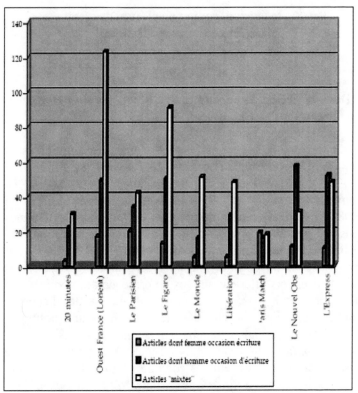

Source : rapport Reiser/Grésy

À l'exception de *Paris Match*, tous les journaux se caractérisent donc par des articles dont le taux de présence masculin est sensiblement supérieur au taux de présence féminin. Le quotidien gratuit *20 minutes* constitue, pour la journée du 15 mai 2008, le plus « inégalitaire » des journaux parmi l'échantillon retenu, avec 22 articles consacrés à des hommes, contre trois seulement à des femmes. *L'Express* et *Le Nouvel Observateur* figurent également parmi les plus mal placés. L'inégale répartition des articles hommes/femmes dans les deux hebdomadaires peut être observée avec davantage d'acuité encore à travers les deux diagrammes suivants :

Répartition des articles pour *Le Nouvel Observateur*

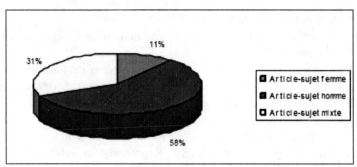

Source : rapport Reiser/Grésy

Répartition des articles pour *L'Express*

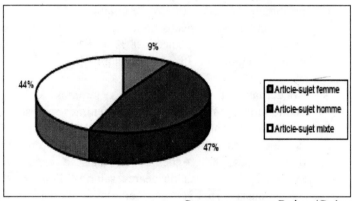

Source : rapport Reiser/Grésy

Ainsi, à peine environ 10 % des articles de L'Express et du *Nouvel Observateur* de la semaine du 15 mai 2008 avaient pour sujet une ou des femmes. Ces dernières pèsent pour 51 % de la population française : devraient-elles « peser » pour 51 % des articles ? Un tel raisonnement semble absurde. Le journaliste n'écrit pas ses articles selon des critères démographiques. Son objectif est d'informer la population sur la marche du monde. Pour le sociologue Erik Neveu, « *nombre de journalistes vivent leur métier comme une mission au service du public à qui ils apportent des informations utiles. Être journaliste, c'est être le « médiateur » qui rend visible la vie sociale, le « pédagogue » et « l'ordonnateur » qui mettent de la clarté dans le chaos des événements »[5].*

Dès lors, si ce chiffre de 10 % d'articles sur les femmes pose problème, ce n'est pas parce qu'il n'est pas précisément de 51 %, mais parce qu'il témoigne de ce que le journaliste ne remplit pas sa mission pourtant première de *« pédagogue »* et de médiateur *« qui rend visible la vie sociale »* à laquelle les femmes participent activement. Reprenons en effet quelques chiffres-clés valant pour l'année 2009, issus du Service des droits des femmes et de l'égalité (SDFEFH) du Ministère du Travail[6] :

- Concernant la participation des femmes à la vie politique, celles-ci représentent 44,4 % des parlementaires européens français, 18.5 % des membres de l'Assemblée nationale, 21.8 % du Sénat, 47.6 % des conseils régionaux, 13.9 % des maires.

- Concernant la participation des femmes à la vie économique, il faut savoir que les femmes représentent 47.6 % de la population active, 35.7 % des professions intellectuelles supérieures, 30 % des créateurs d'entreprises, 30,7 % des cadres dans le secteur des services, 17.2 % des dirigeants salariés d'entreprises, mais aussi 76.4 % des employés, 50,1 % des professions intermédiaires et 83 % des travailleurs à temps partiel.

- Concernant la participation des femmes à la Fonction publique, les femmes représentent 59.1 % des effectifs

---

[5] Erik Neveu, *Sociologie du journalisme*, Éditions La Découverte, Paris, 2009 (3ème édition), p. 19.
[6] *Chiffres-clés de l'égalité entre les femmes et les hommes*, Ministère du Travail, 2009.
http://www.solidarite.gouv.fr/IMG/pdf/Egalite_-_chiffres-cles_2009.pdf

(trois fonctions publiques confondues), 16 % des emplois de direction, 56.6 % des cadres et professions intellectuelles de la Fonction publique d'État.

- Concernant la participation des femmes à la vie associative, 47 % correspond à la part de femmes présidentes d'association dans l'action sociale et l'humanitaire. 44 % des associations dans le domaine de la santé sont également dirigées par des femmes, tout comme 38 % dans les loisirs et la culture, ainsi que 36 % dans l'éducation.

Les chiffres pour rendre compte de l'importance des femmes dans la vie économique et sociale de notre société pourraient être multipliés à l'infini, mais là n'est pas l'objectif de notre étude. Il s'agit simplement ici de pointer du doigt le décalage frappant entre la place réelle occupée par les femmes dans notre société et celle que les journaux leur accordent dans leurs colonnes. À partir de ce constat, il est intéressant de noter que ce même écart à la défaveur des femmes se retrouve sur les photos choisies par les journaux pour illustrer leurs articles (sont donc bien entendu exclues du comptage les publicités). Qu'observe-t-on ? Que sur l'ensemble des photos figurant dans l'échantillon de médias de presse retenu par la Commission, à peine 17 % d'entre elles sont des photos de femmes, pour 53 % de photos d'hommes, soit un chiffre plus de trois fois supérieur – les 30 % de photos restantes étant mixtes. C'est ainsi que sur les 120 photos de *L'Express* de la semaine du 15 mai 2008, 12 seulement sont des photos de femmes, contre 88 d'hommes et 20 mixtes. Similairement, les 130 photos du *Nouvel Observateur* mettent en avant 22 femmes, 92 hommes et 16 mixtes. Ci-dessous un tableau récapitulant les résultats selon les différents titres de presse :

**Répartition des photos hommes/femmes
selon les différents journaux de l'échantillon**

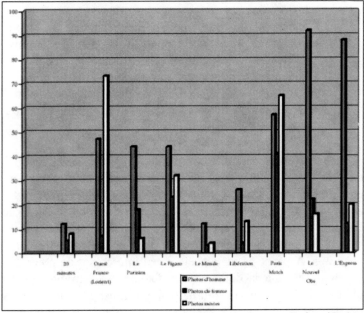

Source : rapport Reiser/Grésy

Au terme de cette approche quantitative de la place des femmes dans les journaux – que ce soit en nombre d'articles les évoquant ou en nombre de photographies les mettant en évidence –, il apparaît donc clairement qu'elles se retrouvent en situation d'infériorité numérique vis-à-vis des hommes dans le traitement qui leur est accordé. Sans surprise, nous allons voir qu'il en va de même à la télévision.

2. À la télévision, les femmes s'expriment sensiblement moins que les hommes

Rappelons le corpus télévisuel sur lequel s'est appuyé sur la Commission pour développer son analyse : le JT de 13H de *TF1* ; le JT de 20H de *France 2* ; le JT de 23H de *France 3* ; le JT de 19H50 de *M6* ; le JT de 19H45 d'*Arte* ; les Guignols de

Canal+. Pour mesurer la place qu'occupent les femmes dans les informations télévisées, on peut se fonder sur ce que le rapport Reiser appelle leur « taux d'expression », à savoir le temps de parole qui, comparativement aux hommes, leur est accordé dans les différents reportages, interviews, etc... Ces temps de parole respectifs hommes/femmes se mesurent bien entendu sans inclure la parole du présentateur du JT dans le décompte, afin de neutraliser les biais liés à son sexe : il s'agit en effet de s'intéresser au contenu des sujets, et non pas à la personne qui les présente. Aussi le temps de parole des femmes dans les divers journaux télévisés peut-il être appréhendé à partir de trois critères :

- Tout d'abord, le nombre de prises de parole : quelle est la part de femmes interviewées dans les sujets ?
- Puis, la durée totale de leurs prises de parole : sur le temps global de parole accordé aux individus par les journalistes dans leurs sujets, quelle est la part prise par les femmes ?
- Enfin, le temps de parole moyen en secondes par intervention.

À partir de ces critères méthodologiques, quels sont les résultats obtenus par les différents journaux télévisés pour la journée du 15 mai 2008 ? Force est de constater une nouvelle fois l'importante différence de traitement médiatique entre hommes et femmes. En établissant une moyenne entre les six JT, on aboutit à :

- un nombre de prises de parole de 37 % pour les femmes et de 63 % pour les hommes : autrement dit, pour une femme interrogée, le reporter interroge environ deux hommes.
- une durée totale des prises de parole de 32 % pour les femmes contre 68 % pour les hommes : plus des deux tiers du temps de parole accordé le sont aux hommes.
- un temps moyen de parole par intervention de 9.1 secondes pour les femmes contre 12 secondes pour les hommes : à prise de parole égale, l'homme a 25 % de temps en plus pour s'exprimer.

On trouvera ci-dessous le récapitulatif des résultats selon les différentes chaînes :

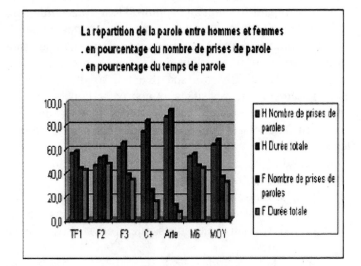

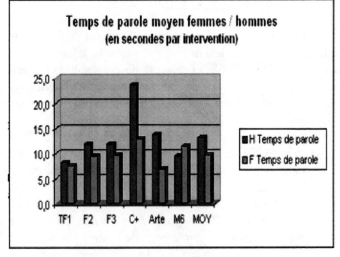

Source : rapport Reiser/Grésy

Cette répartition très inégale de la parole entre hommes et femmes à la télévision se retrouve, on va le voir, également à la radio.

3. Une même situation inégalitaire à la radio

Si nous nous arrêtons sur la place accordée aux femmes par les matinales (« les 7H-9H ») de *France Inter* et de *RTL*, nous aboutissons au même constat établi précédemment d'une inégalité hommes/femmes dans les temps de parole respectifs accordés. La Commission Reiser a établi des distinctions intéressantes dans les différents temps de parole mesurés. Pour la journée du 15 mai 2008, elle a mesuré sur les deux stations les temps de parole accordés aux femmes selon qu'elles soient journalistes, expertes ou témoins. Les résultats sont sans appel. Si l'on prend le cas de *RTL*, le temps de parole sur la matinale ce jour-là fut de 41 % pour les femmes contre 59 % pour les hommes, sans distinction de qualité entre journalistes, experts invités (intellectuels, chercheurs, sociologues, etc.) et auditeurs venant apporter leur témoignage, c'est-à-dire parler à la radio d'un événement qui les concerne, mais sans expertise particulière.

Ce résultat semble *a priori* plus ou moins équilibré, en termes d'égalité hommes/femmes. Mais en se penchant sur la façon dont ce chiffre de 41 % a été atteint, des tendances très nettes se dégagent. Lorsque les femmes interviennent, c'est soit en qualité de journalistes (25 minutes de temps de parole, contre 27 pour les hommes), soit en qualité de témoins non experts (14 minutes contre cinq pour les hommes), mais quasiment jamais en qualité d'expertes d'un sujet (à peine une minute 35 secondes contre 25 minutes pour les hommes). Aux femmes le témoignage ; aux hommes l'expertise : tout se passe ainsi comme si la figure d'autorité se devait d'être nécessairement masculine.

L'essayiste Natacha Henry, dont nous retrouverons l'interview en annexe, parle même de « paternalisme lubrique » à l'œuvre dans les médias. Il suffit de considérer la matinale de *France Inter* en ce 15 mai 2008 pour se rendre compte que le temps de parole sans distinction de qualité fut de 27 % pour les femmes et de 73 % pour les hommes… Les diagrammes ci-dessous éclairent assez bien la dichotomie entre experts et témoins interviewed selon le sexe : il est frappant de constater à quel point les éditions de radio du matin font très majoritairement appel à des experts hommes et cantonnent les femmes au rôle de témoins. D'où la sévère conclusion du rapport Reiser : ce découplage hommes/femmes – les premiers, experts ; les secondes, simples témoins du cours des évènements – illustre parfaitement « *la place majoritairement assignée aux femmes dans l'information ; elles assistent aux choses de la vie ; elles les commentent mais elles ne construisent pas le monde* » (p. 56).

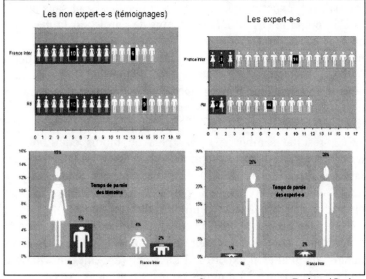

Source : rapport Reiser/Grésy

Ainsi arrivons-nous au terme de ce premier tour d'horizon qui nous a conduit à rendre compte de la nette position d'infériorité numérique des femmes dans les contenus diffusés par les médias d'information. Mais cette approche quantitative, aussi nécessaire qu'elle soit, ne suffit pas – loin s'en faut – à rendre entièrement compte de la véritable image des femmes diffusée par les médias. Nous avons en effet remarqué, avec l'exemple de la matinale *RTL*, comment un temps de parole hommes/femmes de 59 %/41 % pouvait masquer des disparités fortes en terme de « qualité » de la parole, en prenant en considération la distinction expert/témoin. Il convient donc de nous pencher sur le traitement médiatique accordé aux femmes en termes de représentations et de statut social. Autrement dit, il s'agit de compléter notre étude par une analyse qualitative sur la façon dont les médias d'information mettent en avant les femmes – lorsqu'elles le font.

Chapitre 2

Les médias d'information entre représentations faussées de la femme et ignorance des inégalités liées au sexe

1. Un traitement médiatique qui accentue les différences de statut homme/femme

Nous avons mentionné plus haut le projet mondial de monitorage des médias (GMMP)[7] parrainé par l'ONU, qui, tous les cinq ans, s'attache à établir un panorama mondial de la place des femmes dans les contenus médiatiques. Ce projet nous est très utile dans notre travail d'exploration de la situation française d'un point de vue qualitatif, *i.e.* sur la façon dont les femmes sont représentées par les médias. Avant de rendre compte des résultats obtenus, voici à grands traits la méthode qui a été suivie par le GMMP : dans chacun des 108 pays participants à l'opération, un échantillon représentatif des médias d'information nationaux a été étudié lors de la journée du 10 novembre 2009 – la date ayant été choisie aléatoirement. S'agissant de la France, les médias analysés dans le cadre de l'étude furent :

- pour la presse : *Le Figaro, Le Monde, Libération, Le Parisien, Le Progrès* (quotidien régional historique de la région Rhône-Alpes), *Ouest France, Elle* et *Marianne* ;
- pour la radio : *France Inter, RTL, Europe 1, France Info, France Culture* et *Hit West* (station régionale nantaise privée à forte audience locale) ;
- pour la télévision : les JT de 13h et de 20H de *TF1*, le JT de 20h de *France 2*, le « 19-20 » de *France 3*, le JT de 19h45 de *M6*.

---

[7] Projet mondial de monitorage des médias (GMMP) 2010 – rapport mondial
http://www.whomakesthenews.org/images/stories/website/gmmp_reports/2010/global/gmmp_global_report_fr.pdf

Que retenir de l'étude du GMMP pour le cas français, sinon qu'il semble bien qu'à l'infériorité quantitative des femmes dans les contenus médiatiques décrite en I.1, s'ajoute également leur infériorité qualitative ? En effet, tous les chiffres issus du projet de monitorage que nous allons analyser témoignent du statut secondaire occupé par les femmes dans l'espace médiatique.

Sur les 657 individus dénombrés dans l'échantillon ci-dessus comme « sujets de nouvelles » (c'est-à-dire les personnes qu'évoquent les nouvelles) pour la journée du 10 novembre 2009, seules 186 sont des femmes, pour 471 hommes. Les femmes ne sont donc présentes que dans 27 % des nouvelles. D'un point de vue qualitatif, les experts interviewés dans ce même corpus sont – pour quel que soit le sujet – à 78 % des hommes, contre seulement 22 % de femmes, quand elles représentent 36 % des professions intellectuelles supérieures... De même, les porte-parole sollicités constituent à 75 % des hommes, alors que nous avons mentionné précédemment l'importance des femmes dans le milieu associatif... 30 % seulement des personnes sollicitées pour décrire une expérience personnelle sont des femmes et on retrouve ce même chiffre pour les témoins oculaires. Le seul statut pour lequel les femmes sont présentées par les médias de façon majoritaire par rapport aux hommes est celui de... « victimes ». Ainsi, 51 % des « victimes » (de la pauvreté, de violences, de maladies...) décrites par les médias sont des femmes.

Cette très faible visibilité féminine se retrouve encore accentuée par le fait que les articles ayant pour objet une femme sont moins souvent illustrés d'une photographie (15 %) que ceux se rapportant aux hommes (21 %). En outre, l'étude du GMMP nous révèle un fait révélateur : les femmes sont rarement citées dans les articles comme sources d'information (27 %), très loin derrière les hommes (68 %), ce qui renforce un peu plus leur anonymat. Par ailleurs, le GMMP a subtilement observé que si, majoritairement, les personnes figurant dans les nouvelles n'étaient pas définies à partir de leur statut familial (célibataire, marié, père, mère...), il n'en restait pas moins que, lorsque c'était le cas, les femmes se retrouvaient davantage identifiées à partir de leur appartenance familiale (29 %) que les hommes (19 %).

Une enquête[8] réalisée en 2006 par l'association des femmes journalistes (AFJ) sur la place et l'image des femmes dans les médias avait débouché sur les mêmes tendances : à partir de 192 articles datés du 10 mai 2006 et issus de sept journaux à forte diffusion (*Le Figaro*, *Le Monde*, *Libération*, *Le Parisien*, *L'Humanité*, *Ouest France*, *Dernières Nouvelles d'Alsace*), il apparaissait que les femmes étaient identifiées trois fois plus souvent que les hommes à partir de leurs relations familiales et qu'une femme sur cinq se retrouvait citée sans sa profession, contre un homme sur vingt. Enfin, sur l'ensemble des citations reproduites, seule une sur cinq émanait d'une femme. On peut dès lors rendre compte de cette propension journalistique – même inconsciente – à rendre les femmes plus anonymes, plus dépendantes et moins insérées dans la vie professionnelle que les hommes.

Mais si les femmes sont si peu visibles dans les nouvelles, nous explique le GMMP, c'est aussi et avant tout parce que les rubriques « Politique », « Économie » et « Crimes et Violence » – qui représentent les trois thèmes les plus traités par les médias d'information – se caractérisent par une surreprésentation médiatique des hommes. Se retrouvent davantage de femmes – bien que de façon encore minoritaire – dans les sujets ayant trait aux domaines du social, de l'éducation, de la culture, des médias et de la santé. En ventilant le contenu des nouvelles par sous-rubriques thématiques comme l'a fait le GMMP qui en a identifiées une cinquantaine, il apparaît ainsi que les hommes constituent la majorité des sujets des nouvelles pour chacune d'entre elles, à l'exception de deux sous-rubriques. Les deux seules thématiques dans lesquelles davantage de femmes que d'hommes sont mentionnées dans les nouvelles sont celles ayant trait aux enfants et aux jeunes.

Il est donc aussi frappant que significatif de constater qu'à partir du très large échantillon de médias français retenu par le

---

[8] Enquête sur la place et l'image de la femme dans les médias (2006), http://www.femmes-journalistes.asso.fr/rubrique.php3?id_rubrique=2

GMMP pour la journée du 10 novembre 2009, les hommes se retrouvent majoritairement « sujets des nouvelles » dans toutes les autres catégories : 80 % des politiciens mentionnés sont des hommes ; 100 % des scientifiques et des agriculteurs ; 88 % des hommes d'affaires, 79 % des artistes et 96 % des sportifs ! Par ailleurs, en analysant chacun des reportages du corpus médiatique, le GMMP a remarqué que seuls 7 % d'entre eux étaient « *attentifs aux questions de genre* », tandis que 87 % d'entre eux passaient cette problématique sous silence. Mais qu'est-ce qu'un reportage « *attentif aux questions de genre* » ? L'enquête en distingue trois types qui peuvent, bien entendu, se recouper :

- Il peut s'agir d'un reportage contestant les stéréotypes hommes/femmes à l'œuvre dans la société et renversant les idées reçues. Typiquement, le journaliste pourra interviewer un père dans un reportage sur les crèches et une femme experte dans un sujet sur la politique nucléaire de la France.
- D'un point de vue quantitatif, un reportage attentif aux questions de genre se caractérisera par un équilibre des sources, de façon à ce que l'actualité ne soit pas commentée qu'à travers une perspective masculine.
- Enfin, un reportage ou sujet attentif aux questions de genre sera attaché à mettre en évidence des problématiques touchant aux inégalités hommes/femmes dans un domaine donné, par exemple le fameux « plafond de verre » auquel font face les femmes dans leur vie professionnelle.

Un extrait d'article « attentif aux questions de genre » pourrait être celui de Véronique Soulé, paru sur *Libération.fr* le 26 mars 2011 :

« Cherche prof en prépa - Femme et mère s'abstenir »

« *Tout commence par un apparent malentendu. Une enseignante d'histoire-géo de lycée s'aperçoit que ses collègues - des hommes mais elle n'y prend pas garde – ont reçu un courrier de l'inspectrice pédagogique régionale (IPR), les informant qu'un poste se libérait en khâgne dans l'académie. Elle n'a rien reçu, croit à un oubli et écrit pour le signaler. La réponse de l'IPR vaut son pesant de cacahuètes:*

> *"Chère collègue,*
>
> *Ce n'est pas un oubli de ma part, ce poste demande une énorme charge de travail très peu compatible avec le métier de mère de famille (même si les choses évoluent, c'est très lent), je ne l'ai donc signalé qu'à des collègues hommes ou des collègues "femmes" sans enfant, c'est sûrement une vision très passéiste mais très réaliste.*
> *La question tournante en khâgne est très (trop) éprouvante pour soi et pour son entourage.*
> *Bonne journée."*

> *On remarquera les guillemets accolés à la femme sans enfant qui ne mérite pas tout à fait le nom de femme car elle n'est pas mère. On notera aussi que mère de famille est un métier qui vous bouffe toute votre énergie puisqu'on n'arrive pas à assumer "la question tournante" (c'est-à-dire le programme qu'il faut bosser tout l'été). Alors que l'homme, plus costaud et qui ne s'occupe pas des enfants, y arrive ».*

Véronique Soulé

Mais cet article promouvant la parité est une exception qui ne saurait masquer la tendance générale : lorsqu'on observe qu'à peine 7 % des reportages français se révèlent attentifs aux questions de genre, la conclusion du rapport mondial du GMMP s'impose : « *La faible incidence de mentions des questions d'(in)égalité ou de commentaires à ce propos dans les reportages qui dominent les nouvelles implique un grand nombre d'occasions manquées qui auraient pu contribuer à rehausser la conscientisation du public et à susciter des débats sur l'inégalité* » (p. XI).

Toutefois, aussi critiques qu'ils soient en matière de promotion de l'égalité hommes/femmes, les résultats des médias français doivent être remis en perspective, puisqu'ils se situent très légèrement au-dessus de la moyenne mondiale obtenue par les 108 pays ayant participé au GMMP. En effet, si l'on récapitule les chiffres français en les comparant à la moyenne obtenue par les autres médias à l'échelle internationale, on obtient :

- 27 % de femmes « sujets de nouvelles en France » contre 24 % au niveau mondial et 23 % au niveau européen ;
- 25 % de porte-parole femmes et 22 % d'expertes en France, contre respectivement 19 % et 20 % au niveau mondial ; 24 % et 22 % au niveau européen.
- 7 % des reportages d'information français sont attentifs aux questions de genre, contre 6 % au niveau mondial et 4 % au niveau européen.

Néanmoins, si la France a des résultats supérieurs à la moyenne mondiale dans l'absolu, il n'empêche que d'un point de vue relatif, *i.e.* eu égard à la place avancée des femmes dans la société française comparativement à celle qu'elles occupent à l'échelle mondiale, ces chiffres demeurent tout à fait problématiques. Car n'oublions pas que la moyenne est établie à partir de 108 pays dans lesquels, pour beaucoup d'entre eux, le statut des femmes est – à différents degrés – sensiblement inférieur à celui qui existe en France, en termes de promotion de la parité (Émirats Arabes Unis, Chine, Jordanie…). Après avoir replacé ces résultats français dans l'espace mondial des médias, replaçons-les dans le temps. La situation a-t-elle évolué vers davantage de parité depuis que le GMMP réalise son enquête quinquennale, à savoir l'année 1995 ? Il semble que oui, d'un point de vue purement quantitatif. Si, en 1995, les femmes représentaient 17 % des sujets des nouvelles françaises, 18 % en 2000 pour redescendre à 17 % en 2005, elles semblent avoir effectué un bond (relatif) puisqu'elles sont désormais présentes dans 27 % des nouvelles. Mais ce saut quantitatif des femmes dans l'actualité ne saurait masquer, on l'a vu, les différences de traitement médiatique auxquelles elles font face par rapport aux hommes. Étudions ces différences plus en détail en analysant, entre les lignes, le pouvoir des mots.

2. Médias et représentations stéréotypées des femmes : une approche sémantique

Pour bien rendre compte de l'image des femmes diffusée par les médias d'information, il est nécessaire, au-delà de l'analyse de leur visibilité, de se pencher sur le contenu même du discours journalistique lorsqu'il mentionne les femmes. Rien n'est en effet plus instructif que l'étude des mots en usage pour appréhender le statut dévolu aux femmes par les médias. Aussi s'agit-il pour nous d'étudier le champ sémantique des journalistes lorsqu'ils évoquent les femmes, quelles qu'elles soient (femmes politiques, chefs d'entreprise, syndicalistes, militantes...). Y a-t-il des termes, dans le langage journalistique, qui reviennent automatiquement pour désigner le deuxième sexe ?

Il semble bien que oui, si l'on en croit la philosophe et docteur en sciences de l'information et de la communication, Marie-Joseph Bertini. Dans un article très stimulant[9] intitulé « Langage et pouvoir : la femme dans les médias (1995-2002) », l'auteur démonte le discours journalistique et remarque qu'il existe des catégories sémantiques caractéristiques et restrictives pour désigner l'activité des femmes. Autrement dit, il s'agit de noter qu'« *alors que le champ sémantique qualifiant l'activité des hommes est médiatiquement très riche, celui concernant les femmes se rétrécit comme une peau de chagrin à quelques formules-clefs, identiques d'un support à l'autre, visant essentiellement à qualifier de manière spécifique l'action des femmes, c'est-à-dire d'une manière non universelle, propre à la catégorie anthropologique dont elles relèveraient* » (*op.cit.*, p. 8).

Pour étayer sa thèse, Bertini s'appuie sur les archives de 1995 à 2002 de quatre médias de presse d'envergure nationale : *Le Monde*, *Libération*, *L'Express* et *Le Nouvel Observateur*. Ces journaux n'ont pas été choisis au hasard pour composer

---

[9] Marie-Joseph Bertini, « Langage et pouvoir : la femme dans les médias (1995-2002) », *Communication et langages*, n° 152, 2007, pp. 3-22. L'auteur détaille son enquête dans un ouvrage intitulé *Femmes, le pouvoir impossible*, Fayard, Paris, 2002.

l'échantillon : ils ont en effet en commun une histoire prestigieuse, une diffusion importante et jouissent d'une forte crédibilité, autant d'éléments leur permettant d'exercer « *chacun selon des modes d'influence spécifique, un magistère sur les esprits et sur les autres supports et médias auxquels ils servent de référence* » (*ibid.*). Qu'est-il ressorti de l'enquête de Bertini ? Ce constat intéressant : nombre de formules rituelles qui accompagnent la description de l'activité des femmes les rattachent à des représentations archétypales. Plus précisément, l'auteur a remarqué que cinq termes avaient tendance à revenir de façon mécanique pour décrire les femmes : ceux de muse, de madone, de mère, d'égérie ou de *pasionaria*. Pour l'auteur, le souci de telles expressions génériques réside en cela qu'elles enferment les femmes dans des figures éculées qui les caricaturent et les formatent. Les médias contribuent ainsi à distiller auprès de leur lectorat une image des femmes contraignante, car sans cesse rattachée à ses déterminants anthropologiques et à des stéréotypes qui les figent.

Considérons, avec Marie-Joseph Bertini, le mot « *pasionaria* ». Et analysons, à travers quelques exemples (parmi plusieurs centaines…), à quel point les médias emploient ce terme pour décrire les femmes, dans un même réflexe pavlovien. Dans *Libération* du 17 novembre 1998, Stéphane Arteta mentionne Christine Boutin comme « *la Pasionaria des anti-Pacs* », expression reprise par son confrère Luc Rosenzweig qui, dans *Le Monde* daté du 29 septembre 2000, l'évoque à sont tour comme la « *ci-devant Pasionaria UDF anti-Pacs à l'Assemblée nationale* ». Jérôme Dupuis, journaliste à *l'Express*, dresse, lui, un portrait de la femme d'affaires Mona Ayoub, dans lequel il apparaît que « *depuis le succès estival de son autobiographie,* La Vérité *(Michel Lafon), Mouna Ayoub s'est muée en pasionaria : le récit de ses années passées sous un tchador dans le palais arabe d'or et de marbre de son époux, le milliardaire Nasser al-Rashid, a délicieusement fait frissonner près de 100 000 lectrices* » (19 octobre 2000).

Toujours dans *l'Express*, Nûkte V. Ortaq raconte le parcours tumultueux de « *la pasionaria du foulard* », Merve Kavakci, qui perdit sa nationalité turque en revendiquant le droit de conserver son voile à l'Assemblée (20 mai 1999). Quant à

Véronique Soulé, journaliste à *Libération*, elle regrette l'assassinat de la femme politique russe Galina Starovoïtova, véritable « *pasionaria démocrate* » (20 janvier 2000). Joël Morio, pour *Le Monde* du 17 mars 2001, fait le portrait de Colette Neuville, l'économiste présidente de l'Association de défense des actionnaires minoritaires (ADAM). Le journaliste estime qu'en défendant les droits des petits épargnants, « *la pasionaria du gouvernement d'entreprise a, d'une certaine façon, renoué avec ses idéaux de jeunesse* ». Viviane Forrester, auteur du best-seller antilibéral « L'horreur économique », est décrite, quant à elle, par Marianne Payot dans *l'Express* comme « *la nouvelle pasionaria des travailleurs* » (9 mars 2000), tandis qu'Adriana Varela, artiste argentine, apparaît à Véronique Montaigne comme une « *pasionaria péroniste* » (*Le Monde*, 3 mai 2001)...

Ce bref aperçu montre bien comment des femmes, aussi diverses qu'elles puissent être, ont tendance à être décrites par les journalistes à travers une même figure – en l'occurrence celle de la pasionaria, mais nous aurions pu prendre l'une des quatre autres catégories sémantiques relevées par Marie-Joseph Bertini. Certes, le propre d'une formule ou d'un raccourci consiste précisément dans son « *caractère elliptique qui contribue à exemplariser et à modéliser cela même qu'il abrège* » (Bertini, p. 21), mais le fait est, selon l'auteur, que les femmes sont bien plus fréquemment décrites que les hommes à travers des représentations réductrices et stéréotypées. La dernière élection présidentielle de 2007 n'est-elle pas là pour finir de nous en convaincre ? Surnommée la « Madone des sondages » par l'ensemble de la presse, quand ce ne fut pas la « Madone qui dérange » par *Le Monde* (22 février 2007) ou la « Madone défroquée du PS » par *Le Figaro* (28 septembre 2008), Ségolène Royal a constitué un cas d'école des femmes représentées par la presse à travers le prisme d'une figure. Afin de parachever notre analyse qualitative des inégalités médiatiques hommes/femmes, concentrons-nous désormais sur la place des thématiques de la vie des femmes dans les informations.

3. Quand les médias d'information rendent les inégalités hommes/femmes imperceptibles

Nous avons étudié précédemment la faible visibilité des femmes dans les contenus médiatiques, qu'il s'agisse de reportages télévisés, d'articles de presse ou d'émissions de radio. Une conséquence – ou un corollaire – de cette discrétion des femmes à l'antenne consiste en cela que les inégalités sociales structurantes entre hommes et femmes ne sont que très peu abordées par les médias – et donc susceptibles d'être interrogées en profondeur.

Reprenons l'échantillon de médias de presse mixte analysé la journée du 15 mai 2008 par la commission Reiser, à savoir les quotidiens *20 minutes*, *Ouest France* (Lorient), *Le Parisien*, *Le Figaro*, *Le Monde*, *Libération* et les hebdomadaires *Paris Match*, *Le Nouvel Observateur* et *L'Express*. La journée du 15 mai a ceci d'intéressant à étudier qu'elle représente un jour de grève enseignante et pose donc inévitablement la question de la garde d'enfants, et, plus globalement, celle du travail des femmes et de l'articulation entre leurs vies professionnelle et familiale. Or, sur les 910 articles passés au crible par la commission, 906 n'abordent pas cette problématique – ni de près, ni de loin. De la même façon, si l'on analyse les matinales du 15 mai 2008 sur *France Inter* et *RTL*, il apparaît que seul 2 % du temps a été consacré aux problématiques concrètes soulevées par la grève pour les femmes.

Que retenir de tels résultats, sinon ce constat de « *la petitesse symbolique des groupes sociaux subalternes que sont les femmes* »[10], comme l'explique le sociologue Éric Macé ? Pour lui, « *les programmes de la télévision française expriment un réalisme de l'imaginaire concernant l'état des rapports sociaux et des discriminations en France* ». C'est ainsi que bien que majoritaires d'un point de vue démographique, les femmes se retrouvent considérées comme une minorité, lorsqu'on constate le faible écho accordé aux thèmes relatifs à leur vie moderne. D'où la conclusion du sociologue : « *le prisme*

---

[10] Éric Macé, A*s seen on TV, les imaginaires médiatiques, une sociologie post critique des médias*, Éditions Amsterdam, Paris, 2006, pp. 117-118.

télévisuel n'est ici pas réaliste d'un point de vue sociologique, mais il l'est tout à fait d'un point de vue hégémonique » (*ibid.*). Les médias d'information, censés rendre visible la vie sociale, constituent donc un miroir déformant, en cela qu'ils minorent sensiblement les problématiques auxquelles doivent faire face les femmes dans la vie moderne. Nous avons analysé précédemment l'enquête du GMMP, qui nous montrait que seuls 7 % des reportages des journaux télévisés étaient « *attentifs aux questions de genre* » et aux inégalités hommes/femmes à l'œuvre dans la société. Celles-ci se retrouvent pourtant, on va le voir, à tous les niveaux de l'organisation sociale, tant et si bien qu'elles en sont même constitutives.

Considérons, par exemple, la question de l'égalité salariale entre les hommes et les femmes, théoriquement garantie par la loi du 23 mars 2006. Voici, en pratique, les chiffres. Ci-dessous, on pourra observer la différence des écarts de salaires femmes/hommes des cadres dans le privé et le semi-public. On retrouve un écart moyen de 21.7 % entre les deux sexes :

7 Salaire net annuel moyen des cadres dans le privé et semi-public, 2007

Secteur d'activité	Proportion de femmes (en %)	Salaires nets annuels (milliers d'euros)		Écarts de salaires femmes/hommes (en %)
		Femmes	Hommes	
Industrie	20,2	40,9	49,4	- 17,3
Construction	10,9	36,2	46,3	- 21,7
Commerce	24,6	38,1	47,6	- 20,1
Services	30,7	38,7	50,7	- 23,7
Ensemble	26,7	38,9	49,7	- 21,7

Lecture : en 2007, 20,2 % des cadres travaillant dans l'industrie sont des femmes. Leur salaire net est en moyenne de 40 900 euros par an. Il est inférieur de 17,3 % à celui de leurs homologues masculins.

Champ : les cadres travaillant à temps complet dans le secteur privé et semi-public.

Définition : écart des salaires nets annuels entre femmes et hommes en pourcentage des salaires nets annuels des hommes.

Source : Insee, DADS 2007.

Ces inégalités de salaires entre hommes et femmes se retrouvent accentuées davantage encore au niveau des directions d'entreprises. Déjà rares à la tête des sociétés, les femmes qui y accèdent disposent d'un salaire inférieur de près d'un tiers (-32.1 %) à celui gagné par leurs homologues masculins. Dans le secteur de l'industrie, le salaire moyen des femmes dirigeantes est inférieur de 26 % celui des hommes, tandis qu'un écart salarial de 40,2 % est atteint entre les deux sexes dans le secteur des services :

8 Salaire net annuel moyen par sexe des dirigeants de société salariés, 2007

Secteur d'activité	Proportion de femmes (en %)	Salaires nets annuels (milliers d'euros)		Écarts de salaires femmes/hommes (en %)
		Femmes	Hommes	
Industrie	13,4	49,6	67	- 26,0
Construction	7,1	36,6	43,5	- 15,9
Commerce	21,4	36,4	51,6	- 29,5
Services	19,9	44,4	74,2	- 40,2
Ensemble	17,2	41,9	61,7	- 32,1

Lecture : en 2007, 13,4 % des dirigeants travaillant dans l'industrie sont des femmes. Leur salaire net moyen est en moyenne de 49600 euros par an. Il est en moyenne inférieur de 26 % à celui de leurs homologues masculins.

Champ : les dirigeants de société salariés hors agriculture, services domestiques, activités extra-territoriales, travaillant à temps complet.

Définition : écart des salaires nets annuels entre femmes et hommes en pourcentage des salaires nets annuels des hommes.

Source : Insee, DADS 2007.

Les exemples d'inégalités hommes/femmes dans la vie professionnelle pourraient être multipliés, que l'on songe aux questions d'âge de cessation d'activité, de durée de carrière ou de montant des retraites. Mais là n'est pas l'objet de notre mémoire. Il s'agit simplement pour nous de mettre en lumière le décalage frappant entre la quasi-absence de traitement médiatique des inégalités hommes/femmes et l'omniprésence de ces inégalités dans la vie professionnelle, mais aussi dans les ménages. Nous avons en effet vu comment la question de l'articulation des temps des femmes entre vies professionnelle et familiale avait à peine été évoquée par les médias le jour de la grève du 15 mai 2008, alors qu'elle est pourtant centrale. Le tableau ci-dessous témoigne bien de l'inégalité homme/femme dans la gestion du partage des tâches familiales :

72 Répartition des tâches ménagères dans les couples selon qu'un seul conjoint ou les deux sont actifs, 2005

Personne qui réalise la tâche	Couple	Repassage	Repas	Courses alimentaires	Aspirateur	Comptes	Vaisselle	Invitations
Toujours ou le plus souvent la femme	Couple avec un seul actif	84,0	82,3	49,9	68,9	41,7	63,4	27,2
	Couple biactif	76,5	66,9	51,4	49,4	42,9	38,0	25,6
Autant l'un que l'autre	Couple avec un seul actif	12,6	13,9	41,0	25,5	30,3	29,4	66,6
	Couple biactif	19,0	21,2	38,2	38,6	35,3	46,8	69,1
Toujours ou le plus souvent l'homme	Couple avec un seul actif	3,4	3,8	9,1	5,7	27,0	7,2	6,3
	Couple biactif	4,4	11,9	10,4	12,0	21,8	15,2	5,3

Lecture : la femme repasse toujours ou le plus souvent dans 84 % des couples avec un seul actif, c'est le cas dans 76,5 % des couples biactifs.
Champ : couples cohabitant en 2005, dont la femme est âgée de 20 à 49 ans.
Source : Ined-Insee, enquête Erfi-GGS1, 2005.

En conclusion de ce chapitre, il apparaît que cette contradiction entre le très faible traitement médiatique des inégalités auxquelles doivent faire face les femmes modernes pose avec acuité la question de la responsabilité du journaliste, pourtant censé mettre en évidence, dans le désordre des événements, les grandes tensions structurantes appelant des réponses politiques. Car le risque est grand que les médias participent à la non-résolution – pour ne pas dire au renforcement – des inégalités dont sont victimes les femmes, en minorant les problématiques liées à leur vie moderne. Par le jeu médiatique, la question de la condition des femmes, qui devrait constituer un problème politique majeur car structurant l'ensemble de la vie sociale, se retrouve au mieux considérée comme une revendication catégorielle, au pire comme un non-sujet. Dès lors, pourquoi les politiques mettraient-ils la question des inégalités hommes/femmes en tête de leurs priorités de mandat s'il s'agit d'un problème dont les médias ne se font jamais l'écho ? C'est ce constat qui nous amène à rendre compte, au chapitre suivant, du pouvoir des médias à construire la réalité sociale, à imposer des significations et des représentations dans lesquelles les femmes se retrouvent minorées.

Chapitre 3

Prescripteurs bien plus que descripteurs, les médias façonnent la réalité sociale

1. Entre attachement et défiance, le rapport complexe des Français aux médias d'information

Une société ne s'appréhende pas *per se* ; elle ne se comprend qu'à travers le prisme du regard subjectif que l'on porte sur elle. Comme l'explique Marie-Joseph Bertini dans « Ni d'Ève ni d'Adam »[11], « *anthropologues, sociopsychologues et philosophes sont parvenus à isoler cette idée-force indissoluble de la postmodernité : les phénomènes ne valent que par les représentations que nous en avons et celles-ci varient sensiblement selon le contexte de leur élaboration* ». La réalité d'un phénomène constitue donc l'aboutissement d'un processus dans lequel les médias disposent d'une portée considérable, en ceci que nous percevons le monde – pour une grande part – à travers eux. Cette idée d'un « monde comme volonté et comme représentation »[12], comme le décrivait dès 1819 Arthur Schopenhauer, a été reprise par de nombreux intellectuels, de Nietzsche à Foucault, sans oublier Bourdieu.

Les médias contribuent à façonner le monde dans lequel nous vivons à travers les valeurs, les normes sociales et les référents qu'ils diffusent. Certes, nous allons voir que les téléspectateurs, auditeurs et lecteurs disposent d'un esprit critique leur permettant de remettre en cause ces mêmes référents. Mais il n'empêche : lorsque les Français passent en moyenne 3h32 par jour devant leur petit écran (bilan 2010 de Médiamétrie), cela constitue autant de temps durant lequel ils

---

[11] Marie-Joseph Bertini, N*i d'Ève ni d'Adam, Défaire la différence des sexes,* Max Milo Editions, Paris, 2009, p. 51.
[12] Arthur Schopenhauer, *Le monde comme volonté et comme représentation,* PUF, Paris, 1966.

« absorbent » un discours qui, comme nous l'avons étudié précédemment, renforce les stéréotypes sexués.

Mais avant d'étudier précisément les ressorts de ce pouvoir médiatique de diffusion des normes, il est nécessaire de dresser un état des lieux du rapport des Français aux médias : quels sont les moyens d'information qu'ils favorisent ? Quelle confiance leur accordent-ils ? Depuis 1987, le baromètre de confiance TNS Sofres pour *La Croix* fait le point sur ces questions. Analysons le baromètre de 2011[13].

Qu'en ressort-il ? Tout d'abord, que la télévision demeure, sans surprise, le média d'information le plus utilisé pour se tenir au courant de l'actualité (nationale comme internationale), avec 82 % de la population qui y a recours. Il est intéressant de constater des différences sensibles dans le rapport à la télévision selon le statut social des Français : 89% des individus au sein des catégories populaires s'informent à travers la télévision, contre 71 % chez les catégories sociales supérieures. L'on retrouve également des écarts nets entre catégories de population lorsqu'on se penche sur la variable « âge » : 75 % des 18-24 ans utilisent la télévision comme média d'information, contre 85 % chez les 65 ans et plus.

La radio constitue le deuxième média d'information des Français (44%), devant la presse écrite (38%), laquelle représente néanmoins le moyen d'information préféré des plus de 65 ans, à 49%. Enfin, avec 27% des Français qui s'en servent comme moyen d'accès à l'actualité (contre 23% en 2010), Internet poursuit son essor et représente désormais le quatrième média d'information de la population française, et même le deuxième derrière la télévision pour les moins de 35 ans (50%). On trouvera ci-dessous un graphique intéressant témoignant bien de la différence du rapport des Français aux médias selon des variables telles que le sexe, l'âge, l'utilisation d'Internet et la profession du chef de ménage.

---

[13] Baromètre de confiance dans les médias de TNS Sofres. Janvier 2011
http://www.tns-sofres.com/points-de-vue/FBABA80031284B66BE443C21CFADABBA.aspx

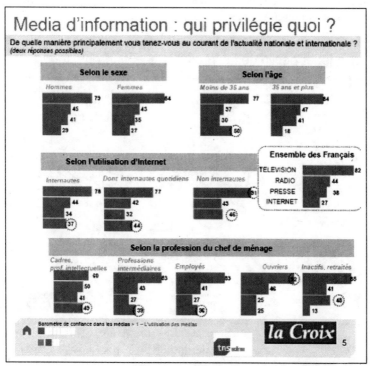

Source : Baromètre de confiance dans
les médias TNS Sofres (janvier 2011)

Par ailleurs, l'actualité intéresse assez largement les
Français, puisque 69 % d'entre eux disent suivre les nouvelles
avec intérêt, les plus intéressés étant les cadres (81 %) et les
sympathisants de gauche (74 %), tandis que les 18-24 ans se
montrent davantage distanciés (57 %).

Quid de la crédibilité que les Français accordent aux médias
et de la confiance qu'ils ont envers les journalistes ? Le tableau
est relativement sombre, puisque seuls 57 % des Français
estiment que les événements se déroulent « vraiment ou à peu
près » comme la radio les raconte, ce chiffre tombant à 49 %
pour la presse et 46 % pour la télévision. Le graphique ci-
dessous restitue le déclin, quoique non linéaire, de la crédibilité
des médias dans le temps. Il est intéressant de noter que la

crédibilité d'Internet, mesurée depuis 2005, est la seule à progresser chaque année.

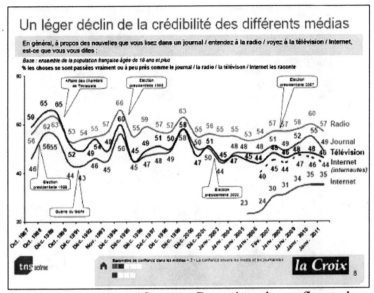

Source : Baromètre de confiance dans les médias TNS Sofres (janvier 2011)

Cette diminution de la crédibilité des médias s'accompagne également d'une méfiance grandissante vis-à-vis des journalistes. Aujourd'hui, 63 % des Français considèrent que les journalistes ne sont pas indépendants face aux pressions des partis politiques et du pouvoir et 58 % estiment qu'ils ne le sont pas non plus face aux pressions de l'argent.

2. Force des représentations et impact du langage : le pouvoir constructiviste des médias

Ce cadre ainsi posé d'une défiance des Français vis-à-vis des organes d'information nous permet de relativiser l'idée d'une toute puissance médiatique qui exercerait un contrôle orwellien sur les esprits. Ce constat ne saurait nous empêcher néanmoins d'analyser les mécanismes à travers lesquels les supports médiatiques parviennent à diffuser leurs normes – en l'occurrence des représentations stéréotypées des femmes et des hommes au sein de l'opinion publique. C'est que toute la force du pouvoir médiatique consiste précisément dans sa discrétion, *i.e.* dans sa capacité à modeler subtilement les consciences, sans que ces dernières puissent toujours faire preuve d'un esprit de résistance, puisque, précisément, ce pouvoir s'exerce de façon si inconsciente et si diffuse que son effet n'apparaît pas d'emblée.

Le premier pouvoir des médias consiste donc dans la capacité de ces derniers à définir des représentations. Mais qu'est-ce exactement qu'une représentation ? Dans son ouvrage intitulé *Les Représentations sociales*, la sociologue Denise Jodelet la définit comme « *une forme de connaissance socialement élaborée et partagée ayant une visée pratique et concourant à la construction d'une réalité commune à un ensemble social* »[14]. Les médias ne décrivent ainsi pas la réalité : ils la construisent. Il ne s'agit pas ici d'adopter une vision complotiste de l'Histoire, cherchant à dépeindre les supports médiatiques comme autant d'outils de manipulation des individus, mais simplement de rendre compte de la subjectivité qui sous-tend les processus de représentations médiatiques.

Lorsque, par exemple et comme nous l'avons vu précédemment, les médias rendent imperceptibles les inégalités économiques et sociales hommes/femmes, ils façonnent des *représentations* sociales qui, loin de décrire la réalité telle qu'elle est véritablement, contribuent au contraire à enraciner et renforcer ces inégalités. Comment, en effet, espérer les résoudre lorsqu'elles se retrouvent jusqu'à être niées ? De la même façon, lorsque les médias ne mettent que très rarement en avant les femmes dans un rôle d'autorité (experte, porte-parole etc.), les cantonnant au rôle de simple témoin, ils construisent une *représentation* réductrice des femmes, car ne correspondant pas à la place réelle que celles-ci occupent dans la société.

Mais à travers quels outils se construit précisément ce phénomène de représentation médiatique ? Tout d'abord à

---

[14] Denise Jodelet, *Les Représentations sociales*, PUF, Paris, 1999.

travers le langage. Dans *La Construction de la réalité sociale*[15], le philosophe John Searle parle du langage comme du «*principe cohésif et organisateur du monde*» : le pouvoir a ceci de puissant qu'il produit des normes autour desquelles la société est pensée. Ainsi, quand le champ lexical évoquant les femmes se trouve réduit autour de quelques formules-clés (madone, muse, égérie, mère, *pasionaria*), comme nous l'avons vu précédemment avec Marie-Joseph Bertini, cela contribue à enfermer les femmes autour de *représentations stéréotypées* qui ne rendent pas compte de l'extrême hétérogénéité et complexité de leurs situations respectives.

Le pouvoir du langage sur la façon dont nous appréhendons le monde est donc aussi subtil que puissant. En atteste un très intéressant article de Rémi Sussan paru dans *Le Monde* du 25 mars 2011 et intitulé «Comment les métaphores programment notre esprit». Dans cet article, Sussan rend compte d'une expérience menée à l'université de Stanford par deux chercheurs, Lera Boroditsky et Paul Thibodeau, qui tend à démontrer que *« notre vision du monde – et par conséquent nos décisions – seraient en grande partie modelées par notre système de métaphores »*.

Qu'ont fait les deux chercheurs pour arriver à cette conclusion ? Ils ont fait lire à un échantillon de personnes deux rapports sur la criminalité dans la ville d'Addison, aux États-Unis, chacun des cobayes ne lisant qu'un des deux textes. Dans le premier rapport, la criminalité était décrite comme *« une bête sauvage, un dangereux prédateur »*. C'est ainsi que 75 % des lecteurs de ce texte ont préconisé comme solutions au crime des mesures punitives, à l'image de la construction de nouvelles prisons. Seul un quart des lecteurs de ce rapport a suggéré, pour endiguer la criminalité, d'instaurer des mesures d'ordre économique, social, éducatif ou sanitaire.

Quant au second rapport, il reprenait exactement les mêmes statistiques de criminalité que le premier, à ceci près que la criminalité y était considérée comme *« un virus infectant la ville et contaminant son environnement »*. Résultat : les lecteurs n'étaient plus que 56 % à préconiser un renforcement des

---

[15] John Searle, *La Construction de la réalité sociale*, Gallimard, Paris, 1998.

mesures punitives, tandis que 44 % ont suggéré de mettre en œuvre des réformes sociales. D'où la conclusion de Rémi Sussan : « *lorsque la criminalité est considérée comme une "maladie", on est plus disposé à chercher à "soigner" plutôt qu'à "combattre" et "punir"* ». Ce qu'il a de fascinant, dans le pouvoir du langage, c'est donc son invisibilité, car « *interrogés sur leurs choix, seulement 3 % des sujets semblent avoir eu conscience de l'influence de la rhétorique sur leurs recommandations. La plupart étaient persuadés que ces dernières étaient dictées par les statistiques du rapport. En clair, ils se croyaient "objectifs"* ».

Rapportées à notre sujet, il serait donc trompeur de sous-estimer la force d'impact sur l'imaginaire social qu'ont les métaphores médiatiques relatives aux femmes. Plus largement, l'image des femmes diffusée par les médias telle que nous l'avons étudiée – entre invisibilité et abaissement de statut – a un impact direct sur la manière dont les femmes sont ensuite perçues par la société et celle dont elles se perçoivent elles-mêmes. Étudions plus en détail ce pouvoir performatif des médias.

3. De la « violence symbolique » des médias

Sur quoi les représentations sociales et culturelles fonctionnent-elles ? Pour Marie-Joseph Bertini, c'est sur « *le mode de la commutation, c'est-à-dire du remplacement, de la substitution d'une dimension à une autre* » (*Ni d'Ève ni d'Adam, op. cit.*). Autrement dit, toute la force des représentations consiste en leur capacité à transformer « *la réalité matérielle (individus, objets, situations...) en réalité symbolique chargée de réguler les conduites, de prescrire et de proscrire* » (*ibid.*).

Dans *Le sens pratique*[16], Pierre Bourdieu rend compte du caractère performatif, arbitraire et dominateur des représentations : parce qu'elles placent chacun devant les normes en vigueur, elles disposent d'une véritable « *violence symbolique* », violence qui s'exerce à travers un processus de naturalisation

---

[16] Pierre Bourdieu, *Le sens pratique*, Éditions de Minuit, Paris, 1980.

des normes. Le discours médiatique tend en effet à rendre invisible le caractère relatif et culturellement déterminé des normes : il fait comme si ces dernières étaient *naturelles*, alors qu'elles constituent au contraire le fruit d'un « *travail historique de déshistoricisation* ».

C'est essentiellement à travers la doxa que s'enracine le pouvoir performatif des médias. Ce que Bourdieu nomme *la doxa* désigne l'ensemble des valeurs, opinions, normes et croyances établies « *comme allant de soi et constituant un arbitraire culturel propre à une société donnée à un moment donné de son histoire* » (Bertini, *Ni d'Ève ni d'Adam*). La *doxa* médiatique a donc pour effet direct de maintenir au *status quo* l'état des rapports de force économiques et sociaux, voire à renforcer le pouvoir de ceux qui sont déjà en position dominante. En se conformant à la *doxa*, non pas volontairement mais dans un processus de servitude volontaire tel que La Boëtie l'avait en son temps décrit, chacun ne peut ainsi aspirer qu'à la place qui lui est attribuée d'office dans l'organisation économique et sociale d'une société. Toute velléité d'émancipation, voire de déconstruction de la *doxa*, s'avère dès lors extrêmement difficile à entreprendre, puisque le pouvoir de la *doxa* « *est d'abord et avant tout le pouvoir d'imposer des significations, d'opérer des partages entre le monde de la signification et celui de l'insignifiance* » (*ibid.*).

Producteurs de significations communes, les médias disposent donc de cette formidable capacité à fabriquer des énoncés servant de référents à l'ensemble de la société. L'anthropologue américain Clifford Geertz, dans son ouvrage *The Interpretation of culture*,[17] évoque ce remarquable pouvoir des médias à diffuser un « sens commun médiatique » au sein du tissu social. Ce pouvoir se retrouve décuplé par l'effet de la mondialisation, laquelle a tendance à homogénéiser les normes sociales et culturelles parmi les différentes sociétés. C'est ainsi que, « malgré toute la défiance que les individus peuvent ressentir vis-à-vis des médias, ces derniers disposent d'un redoutable statut d'arbitre et de prescripteur. Car c'est d'eux

---

[17] Clifford Geertz, *The Interpretation of Culture*, Basic Books, New York, 1973.

que dépend le pouvoir de rendre visible – ou non – un sujet de société et la capacité à rendre compte des inégalités sociales. Tant et si bien que, lorsqu'ils ignorent ces dernières, tout se passe comme si, dans l'imaginaire social, ces inégalités n'existaient plus *ipso facto*.

Au terme de cette première partie, il apparaît donc que l'image des femmes diffusée par les médias d'information souffre de discriminations aussi bien quantitatives – avec une plus faible présence dans les contenus médiatiques que les hommes – que qualitatives. Nous avons en effet analysé comment le traitement médiatique accentuait les différences de statut hommes/femmes, encourageait des représentations stéréotypées des femmes et rendaient imperceptibles les inégalités socio-économiques dont elles étaient victimes. La réalité du paysage médiatique français se caractérise donc par une vision « androcentrée » du monde, où les hommes constituent la grande majorité des acteurs, surtout dans les domaines valorisants (fonctions politiques, de responsabilité, d'expertise, de porte-parolat,…), tandis que les femmes se retrouvent reléguées au second plan – quand elles ne sont pas invisibles. Nous avons en outre mis en évidence la capacité des médias à construire la réalité sociale, mais aussi à renforcer les détenteurs du pouvoir social en imposant subtilement des normes auxquelles les groupes moins puissants doivent se référer. Puisque les médias disposent de pouvoirs constructivistes et performatifs, leur responsabilité est donc essentielle dans la représentation des rapports sociaux entre genres.

Dans cette première partie, nous avons donc détaillé les contours du problème qui nous occupe : l'image des femmes diffusée par les médias d'information. Après nous être penché sur le *quoi*, intéressons-nous désormais au *pourquoi* et au *comment*. Autrement dit, explorons désormais, dans une seconde partie, *pourquoi nous en sommes là* : quels sont les mécanismes à l'œuvre dans une salle de rédaction qui aboutissent à ce que l'image des femmes soit aujourd'hui ce qu'elle est ? Comprendre les mécanismes de fabrication de la *doxa* constitue en effet une condition *sine qua non* pour espérer la transformer. Une fois ce travail d'analyse fait, nous étudierons dans un second temps les leviers d'action pour que les médias d'information diffusent une image des femmes plus fidèle à ce qu'elles sont en réalité : *comment* faire pour changer la donne ? Quels acteurs doit-on faire intervenir ? Quelles recommandations pouvons-nous leur formuler ?

Deuxième partie

Pourquoi cette représentation médiatique des femmes et comment la faire changer ?

Chapitre 1

Journaliste, un métier sous contraintes

Dans ce chapitre, il va s'agir de montrer en quoi l'image de la femme diffusée par les médias d'information telle que nous l'avons analysée précédemment découle d'un cadre journalistique qui, à travers ses routines et son organisation, favorise une présentation de l'information défavorable aux femmes.

« *En lisant le journal, les gens croient apprendre ce qui se passe dans le monde. En réalité, ils n'apprennent que ce qui se passe dans le journal* », affirme drôlement le fameux chat de l'humoriste Philippe Geluck. Rien n'est plus vrai. Le concept *d'agenda-setting*, développé par Mc Comb et Shaw en 1972, est essentiel pour appréhender la hiérarchisation de l'information dans les médias. Le terme *d'agenda-setting*, que l'on peut traduire en français par « fixation d'un ordre du jour », renvoie à la faculté qu'a la sphère médiatique d'établir, parmi le flux d'informations, une hiérarchisation. Ce faisant, les médias jouissent d'un pouvoir considérable : celui de mettre en avant les thèmes qu'ils estiment dignes de retenir l'attention collective.

Mais pour comprendre comment se déroule ce processus *d'agenda-setting*, il est nécessaire de se plonger dans la réalité du travail journalistique et le cadre organisationnel dans lequel il s'insère. Comme l'explique Erik Neveu dans son ouvrage *Sociologie du journalisme* que nous avons déjà cité, « *une part des fausses perceptions du travail journalistique tient à une approche individualiste qui identifie le journaliste à une profession libérale de l'information* ». Or, s'il ne s'agit pas de nier la marge de manœuvre dont jouit chaque professionnel, le système médiatique ne saurait néanmoins être compris sans restituer les interdépendances qui le constituent, avec ce qu'il comporte de contraintes structurelles – en premier lieu celle du temps.

1. Le travail journalistique sous la dictature de l'urgence

Comme de nombreuses autres professions, Erik Neveu rappelle que « *le journalisme illustre les problématiques wébériennes de la rationalisation bureaucratique* » (*ibid*.). La production d'un titre d'information, qu'elle soit quotidienne ou hebdomadaire, sur papier ou à la télévision, nécessite en effet une organisation extrêmement disciplinée. Toute rédaction vit au rythme d'une course contre la montre qui interdit les débats interminables entre journalistes et les pertes de temps inutiles. C'est donc à travers une forte hiérarchie organisationnelle et des séquences temporelles rigides que se caractérise l'encadrement d'une rédaction.

Pour mieux nous rendre compte de cette machinerie organisationnelle, tentons de saisir quel est le cycle temporel d'une rédaction d'un quotidien du matin. La journée commence par la comparaison du journal de la veille avec ceux de la concurrence, puis par l'examen des événements du jour à couvrir à partir des envois qui auront été effectués par les attachés de presse. En fin de matinée, une première conférence de rédaction entre chefs des différents services (politique, société, culture, sports, etc.) permet de construire un « chemin de fer » du journal, c'est-à-dire une prévision de remplissage des pages. Les premiers reportages sur le terrain sont également lancés.

À compter de cet instant, les articles et reportages des journalistes sont, à partir d'un emploi du temps extrêmement serré, rendus aux différents chefs de rubrique selon leur arrivage. Les chefs d'équipe constituent de véritables managers, en charge aussi bien du respect des horaires que du format et de l'angle des articles. Ce sont également à eux de savoir gérer tout changement de dernière minute provoqué par l'arrivée d'un événement imprévu. Les « navettes » entre journalistes et leurs rédacteurs en chef permettent de mettre au point les articles et de finaliser les titres.

En fin d'après-midi, une seconde conférence de rédaction est organisée pour aboutir aux arbitrages définitifs, définir la « une » et boucler la mise en page. Une fois la conférence achevée, l'on peut estimer que le travail journalistique – au sens strict – s'arrête. Mais les contraintes temporelles pesant sur la rédaction ne cessent pas pour autant, puisque commencent alors les tirages à l'imprimerie, suivis de l'expédition des exemplaires par les camions de l'entreprise et de la remise des journaux aux abonnés à partir de cinq heures du matin.

On le voit donc : la situation d'urgence, dans le milieu journalistique, ne constitue pas une exception, mais bien la façon même dont est géré le rapport au temps. À peine un événement survient-il que le journaliste se doit d'être aussitôt sur place, de recueillir des témoignages, d'interviewer un expert, d'écrire un papier et de l'expédier aussi rapidement que possible à la rédaction. L'essor des chaînes d'information en continu n'a fait que renforcer cette pression vers la « course au scoop », dans laquelle il importe, pour se démarquer de ses concurrents, d'être toujours le premier à délivrer l'information.

Aussi comprend-on mieux comment un tel contexte de précipitation ne s'avère pas propice à toute idée de remise en cause de la *doxa* journalistique actuellement à l'œuvre. Quand il s'agit d'écrire un papier le plus vite possible, un journaliste ne se demande pas si son article renvoie une image équilibrée des femmes : il cherche à gagner du temps en allant vers ses sources traditionnelles. Dès lors, si la rédaction à laquelle il est rattaché comporte un fichier d'experts uniquement masculins, le journaliste en question ira donc toujours interviewer un expert homme plutôt qu'une experte femme. C'est ainsi que poussé par l'urgence et le poids des routines journalistiques – bien plus que par la volonté délibérée de minorer les femmes –, notre journaliste contribuera néanmoins à diffuser une image stéréotypée de la femme. Ce n'est donc qu'en agissant contre ces routines mêmes que l'on peut espérer renverser la *doxa* journalistique caractérisée par la domination masculine. Mais nous allons voir comment la force et l'enracinement de ces routines rendent difficile leur remise en cause.

2. Le poids des routines contre les femmes

L'une des routines journalistiques qui permet de comprendre au mieux la faible présence des femmes dans les contenus médiatiques s'explique par le concept de « *circulation circulaire* » (Bourdieu) de l'information. Qu'entend-on par là ?

L'idée que l'importance d'une information ne vient pas tant de son contenu même que de sa force de diffusion. Autrement dit, une information ne se détache des autres que si elle est reprise par un nombre important de titres. Plus précisément, la « circulation circulaire » de l'information a ceci de si puissant que si un certain nombre de journaux évoquent une information donnée, un autre journal qui, originellement, ne comptait pas la mentionner, la mentionnera néanmoins, « *du seul fait de cette forme professionnelle de suffrage censitaire qu'est le verdict des grands titres* » (Neveu, *ibid.*).

La conséquence directe de cette circulation circulaire d'information réside dans l'émergence de jeux mimétiques entre journaux, qui semblent tous polarisés sur les mêmes sujets, les mêmes affaires, les mêmes événements. Il est frappant de constater, par exemple, comment les pages culturelles des journaux mettent en avant les mêmes biens culturels, qu'il s'agisse de films ou de livres. Impossible dès lors de ne pas être au courant de la sortie du dernier livre de Bernard-Henri Lévy ou Michel Houellebecq, au moment même de sa parution…

L'effet pervers de cette circulation circulaire de l'information consiste donc en un rétrécissement du champ d'observation des médias. Ces derniers ne se focalisent plus que sur les sujets leur apparaissant comme les plus vendeurs, délaissant par là même des thématiques centrales à l'image de la condition des femmes. Ce phénomène illustre bien le pouvoir prescriptif des médias que nous mentionnions précédemment : les titres d'information les plus puissants ont en effet la capacité, à eux seuls, d'être les points de départ de la circulation circulaire de l'information. En décidant de leur champ de couverture médiatique – de quoi allons-nous parler ? Quels sujets allons-nous laisser de côté ? –, ces médias ont la capacité de structurer l'espace du débat public.

Toute la difficulté, pour les thématiques relatives à la vie des femmes, consiste en cela que ces dernières ne font pas partie de la « boucle » de la circulation circulaire de l'information. C'est que cette dernière favorise les sujets légers ou non susceptibles de remettre en cause l'ordre socio-économique établi, c'est-à-dire les rapports de force existants… Autant de critères auxquels ne répondent pas des sujets comme les inégalités salariales hommes/femmes, les discriminations dues au sexe ou encore l'image des femmes diffusée par les médias ...D'où la difficulté structurelle de médiatiser de telles problématiques, et, subséquemment, de les résoudre. Car le système politico-médiatique est ainsi fait que, pour que les politiques se saisissent véritablement d'un sujet, celui-ci doit préalablement bénéficier d'une onction médiatique... Si l'image des femmes telle qu'elle est diffusée par les médias n'est pas remise en cause avec force par le système politique actuel, c'est donc d'abord et avant tout parce que les médias en font un non-sujet. Mais essayons désormais de comprendre les tendances lourdes qui poussent les journalistes, dans leur écriture, à enfermer les femmes dans des représentations stéréotypées.

3. Une écriture journalistique nécessairement bridée

Le discours journalistique, pour être bien analysé, ne doit pas être considéré sous le seul angle d'un fait littéraire. L'écriture journalistique, loin d'être un simple exercice de style dépendant de la plume de chaque auteur, s'enracine en effet dans un tissu d'interdépendances et de contraintes dont il va s'agir de rendre compte. Sur quoi repose le travail journalistique ? Essentiellement sur deux actions : d'abord, l'*agenda-setting*, à savoir la sélection, parmi les faits d'actualité, de ceux qui vont être érigés en événements. Une fois ce travail de hiérarchisation fait, le journaliste doit ensuite mettre en récit les nouvelles qu'il a sélectionnées. Il s'avère donc nécessaire de rendre compte sociologiquement de ce travail de narration. Certes, chaque « plume » diffère dans son travail et dispose de sa marge de liberté. Mais aucune d'entre elles ne peut prétendre œuvrer en dehors d'un faisceau de contraintes et de codes, qui le poussent à user ensuite de stéréotypes – en l'occurrence, sur les femmes, pour le sujet qui nous intéresse. 2tudions plus en détail ces contraintes.

La première est bien entendu celle du temps. Confrontés à l'obligation de restituer un événement à peine après qu'il ne s'est produit, les journalistes semblent presque condamnés à en donner des interprétations réductrices. Les contraintes d'espace

– chaque journaliste ne doit pas dépasser un certain nombre de signes – invitent à user d'expressions rebattues et fourre-tout, ne laissant pas de place à des explications trop « subtiles ». Problématiser un événement, le remettre en perspective et le présenter comme le symbole d'une injustice qui mériterait une mobilisation collective constituent dès lors autant de procédés difficiles à mettre en œuvre pour un journaliste.

Finalement, l'on peut, avec Erik Neveu, estimer que les contraintes pesant sur l'écriture journalistique sont de trois ordres :

- les contraintes structurelles de production, d'abord : le rapport au temps, à l'espace et aux sources renvoient aux conditions de travail journalistiques ;
- les contraintes commerciales, ensuite : les objectifs de rentabilité que se fixe une entreprise de presse influent directement sur le profil du public qui va être ciblé et, par là même, sur la qualité des codes narratifs. Toute stratégie commerciale définit implicitement un type d'écriture à adopter, modelé également par les logiques de concurrence féroce entre titres.
- les contraintes statutaires, enfin : la liberté que chaque journaliste peut prendre avec les codes narratifs en vigueur dépend de son statut. Un éditorialiste peut évidemment se permettre d'adopter un ton plus libre qu'un simple journaliste, de la même façon qu'un chroniqueur culturel pourra se montrer plus facilement irrévérencieux qu'un journaliste politique.

Au terme de ce chapitre, nous avons donc exploré comment l'image défavorable des femmes diffusée par les médias découlait pour partie des contraintes structurelles qui pèsent sur le métier. Entre tyrannie de l'urgence, poids des routines et écriture nécessairement bridée, la marge de liberté du journaliste est plus réduite qu'on ne se l'imagine. Et le fait qu'il y ait de plus en plus de journalistes femmes ne vient pas changer sensiblement la donne. Nous allons en effet, dans les pages qui suivent, nous pencher sur ce paradoxe : la féminisation accrue du journalisme n'est pas venue modifier l'image de la femme diffusée par les médias, les phénomènes de ségrégation horizontale et verticale.

Chapitre 2

La féminisation partielle du journalisme ne remet pas en cause l'image des femmes diffusée par les médias

Il importe, lorsqu'on analyse les contenus médiatiques, de ne pas se focaliser uniquement sur leur matière brute, mais de comprendre l'ensemble des processus ayant, en amont, mené à leur fabrication. C'est pourquoi nous allons désormais porter notre attention sur les dynamiques qui sont à l'œuvre entre producteurs de l'information : en quoi la division du travail journalistique entre hommes et femmes affecte-t-elle directement le contenu journalistique ? En quoi la faible présence de femmes aux postes de direction impacte-t-elle également le contenu ? Autrement dit, il s'agit de comprendre « *comment les normes, les procédures et la culture organisationnelles sont marquées par des biais sexués* » (*ibid.*) dans les rédactions, biais qui expliquent que l'image des femmes diffusée par les médias soit celle que nous avons décrite précédemment.

1. Une féminisation certaine mais très imparfaite

Le journalisme français se féminise. En 1965, les femmes représentaient 15 % des journalistes ; 39 % en 1999, pour atteindre 44 % en 2008. Mieux, dans les nouvelles générations, les femmes deviennent majoritaires, puisque cette même année 2008, 54 % des nouveaux titulaires de la fameuse « carte de presse » étaient des femmes. En termes de féminisation des journalistes, la France se situe donc légèrement au-dessus de la moyenne mondiale (44 %), mais en deçà de la moyenne européenne, qui se situe à 47 %. Certains pays ont en revanche déjà atteint la parité, à l'image du Brésil, de la Suède et du Portugal, tandis que certains autres, comme l'Italie, la Suisse et la Belgique connaissent des taux de féminisation dans la profession d'à peine 30 %[18].

En France, la présence des femmes dans le milieu journalistique varie selon les supports médiatiques : si elles représentent 52 % des journalistes de la presse magazine (essentiellement du fait de leur poids dans les journaux féminins), elles sont minoritaires dans les hebdomadaires d'information (42 %), la presse quotidienne nationale (39 %), la télévision nationale (30 %) et la presse quotidienne régionale (26 %). D'une façon très prévisible, les journalistes se heurtent aux mêmes difficultés que toutes les femmes au travail. Elles subissent davantage la précarité que les hommes (20.6 % de femmes pigistes contre 16.1% d'hommes) et doivent faire face à des écarts de salaire d'une moyenne de 18 % *(ibid.)*.

Les différences de traitement sont également remarquables lorsqu'on analyse la ventilation hommes/femmes par métiers et qualifications. Les femmes représentent 59 % des secrétaires de rédaction, et à peine 25 % des grands reporters, 15 % des journalistes reporters d'images (JRI) et 11 % des reporters photographes. Autrement dit, tout se passe comme si les femmes se retrouvaient essentiellement dans les métiers les moins prestigieux, tandis que les postes les plus valorisés et permettant le plus de mobilité étaient réservés aux hommes. Ce constat nous amène à étudier de plus près les « dynamiques de ségrégation » vis-à-vis des femmes à l'œuvre dans le journalisme, comme l'explique l'ouvrage *Le journalisme au féminin*, déjà cité. Nous verrons que ces ségrégations ont un impact direct sur la question qui nous préoccupe, à savoir l'image des femmes telle qu'elle est diffusée par les médias.

2. La ségrégation horizontale à l'œuvre dans les rédactions

De nombreux travaux académiques ont montré comment, dans les titres d'information générale, régnait une division du travail implicite entre hommes et femmes. Aux premiers la

---

[18] Béatrice Damian-Gaillard, Cégolène Frisque, Eugénie Saitta (sous la dir. de), *Le journalisme au féminin : assignations, inventions, stratégies*, coll. « Res publica », Presses Universitaires de Rennes, 2010.

couverture des *hard news*, à savoir la politique, l'économie, l'international, les événements « chauds »... Aux secondes les *soft news* : les informations sur la société, le social, les domaines culturel, pratique et les dossiers thématiques... Tout se passe ainsi, dans les rédactions, comme s'il existait des services « masculins » et « féminins » conformes aux rôles traditionnels associés à chacun des deux sexes par la société.

Ce qu'il est frappant de constater, c'est à quel point ces dynamiques de spécialisation ne se retrouvent pas qu'entre les différents services d'un journal, mais également au sein d'une même rubrique. Dans une étude universitaire très stimulante[19], Nicolas Delorme et Pauline Raul ont montré comment les femmes journalistes sportives dans la presse française avaient tendance à être systématiquement assignées à couvrir des sports considérés comme « féminins », à l'image du patinage artistique, de la gymnastique ou encore de la natation synchronisée, ces mêmes sports bénéficiant en outre d'une moindre visibilité dans les pages « Sports » des journaux que les sports dits « masculins ».

On le voit donc : les mécanismes que nous venons d'identifier constituent des routines professionnelles fondées sur des stéréotypes sexués, qui conduisent à désavantager les femmes journalistes lorsqu'il s'agit d'attribuer des postes. Le fait que les femmes journalistes soient le plus souvent cantonnées à des domaines limités de l'information nous amène à nous interroger sur les processus de ségrégation verticale à l'œuvre dans le journalisme. Quel est l'état des rapports de pouvoir dans les rédactions ? Et quel est son impact sur la production de l'information ?

---

[19] Delorme, Nicolas ; Raul, Pauline, « Production féminine et domination masculine dans le sous-champ du journalisme sportif ». 3ème Congrès de l'Association Française de Sociologie. Paris (France), Université Paris Diderot, 14-17 avril 2009.

3. L'incassable plafond de verre, ou la force de la ségrégation verticale

L'accès très limité des femmes aux postes de responsabilités dans les rédactions est une réalité criante. En atteste le rapport d'information de la sénatrice Gisèle Gautier, fait au nom de la délégation aux droits des femmes et intitulé « Femmes et hommes dans les médias »[20].

Dans ce rapport, la délégation a recueilli en 2006, à partir des organigrammes des 48 plus importants médias nationaux, les chiffres sur la présence des femmes aux postes de direction. Sans être étonnantes, les conclusions du rapport ont au moins le mérite de la clarté : le nombre de femmes à responsabilité dans les médias est très limité (27,8 %), et ce nombre se réduit plus l'on progresse dans la hiérarchie, avec toutefois des différences notables selon les secteurs.

C'est ainsi que sur les 48 médias étudiés, les femmes constituent :
- 28.6 % des responsables de bureaux à l'étranger ;
- 31.4 % des présentateurs ;
- 25.6 % des rédacteurs en chef ;
- 30.8 % des directeurs ou chefs de service ;
- 8.8 % des dirigeants de publication ou de chaîne ;
- 14.3 % des directeurs généraux en titre, adjoints ou délégués ;
- 0 % des PDG, présidents ou vice-présidents ;

Il apparaît donc que si l'encadrement intermédiaire s'est, avec près d'un tiers de femmes, partiellement féminisé, les directions restent presque exclusivement masculines, autour de 90 %. Des différences notables entre médias sont néanmoins observables quant à l'attribution de postes de responsabilité aux femmes : 32 % des cadres à la télévision sont des femmes, contre 30.2 % dans la presse magazine d'information générale, 25.8 % dans les quotidiens nationaux d'information générale,

---

[20] Rapport d'information n° 375 (2006-2007) de Mme Gisèle Gautier fait au nom de la délégation aux droits des femmes, déposé le 11 juillet 2007 : http://www.senat.fr/rap/r06-375/r06-375.html

23.2 % dans les radios généralistes et 16.9 % dans les agences de presse.

Plus de femmes aux postes de responsabilité dans les médias nous mènerait-il *ipso facto* à une modification dans un sens plus favorable de l'image de la femme telle qu'elle est actuellement diffusée ? Intuitivement, l'on pourrait évidemment penser que oui. Pourtant, la relation n'est pas mécanique. Dans une étude très intéressante[21], Masha Barber et Ann Rahaula montrent qu'à la télévision canadienne, les femmes rédactrices en chef ont des conceptions de la société et de l'information semblables à celles de leurs homologues masculins. S'ensuit un traitement de l'information approximativement identique, que ce soit en termes de sources sollicitées ou de statut attribué aux femmes.

Monica Löfgren-Nilsson va dans le même sens lorsque, dans son article intitulé « Le genre en pensées et en actes : le cas des informations télévisées suédoises »[22], elle montre comment les femmes suédoises ayant accédé à des postes décisionnels sur une chaîne nationale publique ont eu tendance à ne pas remettre en cause le traitement médiatique alors en vigueur, afin de ne pas fragiliser leur position. Ayant déjà rompu une fois l'ordre établi en accédant à de hautes responsabilités, il leur était difficile de le rompre une seconde fois, en revendiquant des modifications structurelles dans le contenu même de l'information.

Aussi ces perspectives s'inscrivent-elles à rebours de l'idée pourtant très répandue que la présence accrue de femmes journalistes conduirait mécaniquement à une féminisation des contenus médiatiques. Cette conception, selon Béatrice Damian-Gaillard, repose sur deux postulats tout à fait contestables : « *Tout d'abord, les journalistes auraient assez d'autonomie dans leur travail quotidien et dans la rédaction pour produire une façon individuelle de faire du journalisme.*

---

[21] Masha Barber, Ann Rahaula, « Getting the Picture : Gender Representation on Canadian Television Networks during the Lead Up to the 2006 Federal Election », communication au colloque « Genre, journalisme et presse écrite », IEP de Rennes, 14-15 mai 2008.
[22] Monica Löfgren-Nilsson, « Le genre en pensées et en actes : le cas des informations télévisées suédoises », *in Le journalisme au féminin : assignations, inventions, stratégies, op.cit.*

Ensuite, les femmes auraient une pratique féminine du journalisme parce que le genre serait leur principale forme d'identification (avant d'autres, comme le professionnalisme, l'ethnicité...) » (*Le journalisme au féminin, op. cit.*).

Mais il n'empêche : il semble bien que la présence de femmes dans les rédactions ait un impact sur le contenu de l'information, même s'il n'est pas toujours sensible. Comme l'affirme Claire Fitoussi, journaliste à *Europe 1* (voir l'interview en annexe) : « *Une réunion change sensiblement lorsque la moitié ou presque des intervenants sont des femmes. Nous apportons des idées de sujets auxquels les hommes ne pensent pas toujours, et si nous sommes suffisamment soutenues, ce sujet peut passer* ». Afin que les femmes ne soient pas minorées dans leur expression, l'idée qu'une « masse critique » de femmes se forme au sein de chaque service rédactionnel apparaît donc comme essentielle.

Quoi qu'il en soit, des études témoignent que, lorsqu'elles sont suffisamment nombreuses, les femmes provoquent un changement dans le secteur des informations. Un sondage effectué auprès de rédacteurs en chef des cent principaux journaux américains montrait que la grande majorité d'entre eux considérait qu'un changement dans le traitement médiatique était intervenu avec la féminisation de la profession. Des sujets auparavant totalement occultés – comme le viol, les mères sans domicile fixe, le foyer – ont, grâce aux femmes, acquis une valeur journalistique. De grands progrès restent encore à faire, mais il faut aussi parfois, pour se donner de l'espoir, regarder d'où l'on part…

Au terme de ce chapitre, il apparaît donc que la féminisation du journalisme français ne s'est pas faite sans ambivalences. Il s'agit d'abord de relativiser le phénomène, puisque la féminisation n'a pas eu lieu au niveau des cadres dirigeants – ceux qui, précisément, sont en mesure d'infléchir la *doxa*, et par là même l'image de la femme diffusée par les médias. Par ailleurs, la plus grande présence de femmes dans les rédactions ne doit pas, comme on l'a vu, occulter le double phénomène de ségrégation verticale et horizontale dont elles sont victimes, un phénomène qui les empêche de remettre en cause de façon structurelle les représentations médiatiques stéréotypées actuellement à l'œuvre.

Mais ce tour d'horizon des contraintes structurelles qui pèsent sur le métier de journaliste ne saurait nous empêcher de déceler des voies d'amélioration pour faire en sorte que les femmes soient présentées de façon plus équilibrée dans les médias d'information. Aussi s'agira-t-il dans notre dernier chapitre d'établir un ensemble de recommandations nous semblant pertinentes et opérationnelles.

Chapitre 3

Recommandations pour une meilleure représentation médiatique des femmes

1. Renforcer les actions de vigilance

Que faire au cours des années à venir pour modifier l'image des femmes dans les médias telle que nous l'avons décrite ? Comme le rappelle la Commission Reiser, il y a quatre types d'acteurs qu'il faut cibler : les instances de régulation, les pouvoirs publics, les médias eux-mêmes et la société civile.

Intéressons-nous tout d'abord au cadre juridique existant. Aujourd'hui, le respect de la dignité humaine est garanti par les Codes civil et pénal. L'article 225.1 du Code pénal sanctionne ainsi toute discrimination sexuelle. En outre, la loi du 29 juillet 1881 sur la liberté de la presse a introduit des dispositions venant réprimer les propos sexistes tenus par voie de presse. La France semble donc disposer d'un arsenal juridique permettant théoriquement de sanctionner toute discrimination en raison du sexe. Ce cadre assure ainsi, en cas de manquement, la possibilité d'engager des actions en justice.

Mais le fait est que la jurisprudence relative aux questions de discrimination sexuelle à l'écran a été, jusqu'à aujourd'hui, extrêmement peu utilisée. En outre, si l'on en croit la commission Reiser, la jurisprudence « *est inexistante pour ce qui est de la répression des propos sexistes et plus largement de la production de stéréotypes dévalorisants pour les femmes* » (rapport Reiser/Grésy, *op. cit.*). On le perçoit donc : toute la difficulté, pour changer les représentations médiatiques des femmes, consiste en cela que les stéréotypes sexistes ne sont guère attaqués en justice, voire sanctionnés par le Conseil Supérieur de l'Audiovisuel (CSA), excepté les cas les plus graves de violation de dignité humaine.

Il faut dès lors renforcer la vigilance du CSA sur cette question, à travers plusieurs outils. La Commission Reiser propose ainsi d'entreprendre les actions suivantes :

- « Identifier une mission sur l'image des femmes au sein du CSA.
- Réfléchir aux modalités d'une action de vigilance vis-à-vis des chaînes qui peut passer soit par la rédaction d'une délibération sur cette question, expression d'un pouvoir unilatéral du CSA, soit par l'élaboration d'une charte de l'antenne, en partenariat avec les diffuseurs (encouragement à faire des programmes spécifiques, développement du rôle des médiateurs, construction d'indicateurs comparables entre médias).
- Faire un bilan annuel sur cette question.
- Étudier les moyens d'introduire cette clause de responsabilité sociétale envers les femmes lors de tout accord d'autorisation aux chaînes privées » (source : rapport Reiser, p. 91).

Par ailleurs, il faut véritablement que le CSA fasse de la question de la représentation des genres l'un de ses critères de jugement des médias. Or ce n'est qu'à travers des moyens de persuasion sur les médias que la situation pourra évoluer. C'est pourquoi, lorsque le choix est fait d'attribuer de nouvelles fréquences à des radios ou télévision, le CSA gagnerait à faire de la représentation médiatique des femmes l'un des critères déterminants dans l'attribution de ces fréquences à tel ou tel média. Ce n'est que si les médias ont intérêt à faire « bouger les lignes » qu'ils le feront. En outre, le CSA pourrait se porter le garant de la création d'un baromètre annuel qui viendrait tester les médias sur l'image de la femme qu'ils renvoient. Les résultats seraient rendus publics et pourraient donner lieu, comme le préconise le rapport GMMP déjà mentionné précédémment, à un « Name and Shame » à l'image du modèle qu'a instauré la Halde pour lutter contre les discriminations en entreprise.

2. Responsabiliser les médias et les écoles de journalisme

Mais au-delà des nécessaires procédures de surveillance par les instances de régulation, il importe que tous les médias se saisissent à bras le corps de la question de l'image des femmes, dans une démarche d'autorégulation. Le 13 octobre 2010, un accord tripartite a déjà été signé entre représentants des principaux médias français, l'État français représenté par Nadine Morano et le CSA. Par cet accord, les médias se sont engagés à accroître la place des femmes sur les plateaux, les journaux et les ondes. Comment ? En favorisant l'intervention de femmes expertes. Le CSA a, à cet égard, constitué un vivier d'expertes, qu'il se chargera de promouvoir auprès des médias. En outre, un bilan annuel sur les avancées constatées sera rendu aux pouvoirs publics.

Cette démarche semble aller dans le bon sens. Mais il convient d'aller beaucoup plus loin, et notamment de prévoir des sanctions financières pour les engagements qui n'auront pas été respectés. À court terme, il est possible de changer la donne en invitant tous les médias à signer une charte dans laquelle les journalistes s'engageraient à :

- éviter de décrire les femmes à partir de leur aspect physique et de leur état civil ou familial, à moins que ces informations ne se révèlent essentielles à la compréhension de l'article ;
- veiller à l'équilibre des genres dans leurs sujets et à ne pas assigner aux femmes des rôles renforçant les stéréotypes en vigueur ;
- toujours utiliser le nom ou le titre d'une femme plutôt que « la femme de M. Martin » ;
- féminiser les noms : une chercheuse n'est pas une « chercheur » ; une députée n'est pas « Madame le député » ; etc…
-

Dans cette même charte, les médias télévisuels s'engageraient à :

- recourir à au moins 30 % d'expertes femmes sur leurs plateaux d'ici à 2012 ; 40 % à 2013 ; la parité devant être atteinte pour 2014 ;
- établir eux-mêmes un décompte de leurs résultats obtenus, qui sera ensuite vérifié par le CSA ;
- accorder au moins 10 % de leur temps d'antenne à une programmation spécifique valorisant les thématiques qui concernent la modernité des femmes (inégalités salariales ; articulation des temps professionnel et familial…) ;
- communiquer aux pouvoirs publics le nombre de femmes aux postes de direction ; de façon à ce que le nom des entreprises ne respectant pas les quotas introduits par la loi soit connu publiquement ;
- faire figurer, dans les plans de formation initiale et continue de leurs journalistes, les modules de sensibilisation à la question du genre. Pour ce faire, ils pourraient nouer un partenariat avec l'Association des femmes journalistes.

Plus en amont, il apparaît fondamental que les écoles de journalisme se saisissent enfin de la question du genre, jusqu'à aujourd'hui presque totalement occultée. Ces écoles valorisent les apprentissages professionnels et techniques mais, aussi essentiels qu'ils soient, ils ne suffisent pas à former des journalistes capables d'échapper à la tentation du cliché et du stéréotype. Dans son ouvrage passionnant *Politiques de la nature : comment faire entrer les sciences en démocratie ?*[23], Bruno Latour explique bien comment l'idéal universaliste français a longtemps maintenu à distance les enseignements tels que les "Cultural" ou les "Gender Studies". Ce n'est pourtant qu'à travers ces approches théoriques que l'on peut espérer provoquer un changement dans les mentalités et mettre en avant le processus de construction historique des inégalités hommes/femmes.

---

[23] Bruno Latour, *Politiques de la nature : comment faire entrer les sciences dans la démocratie ?* Éditions de la Découverte, Paris, 1999.

3. L'indispensable implication des pouvoirs publics

Quant aux pouvoirs publics, c'est à eux que revient l'essentiel du travail de vigilance. La commission de réflexion sur l'image des femmes dans les médias a été pérennisée en 2009, quelques mois après avoir rendu son rapport : c'est un point positif. Il s'agit désormais de lui donner les moyens de ses ambitions, afin qu'elle puisse mener à bien la mission qu'elle se propose de remplir, à savoir débusquer les stéréotypes féminins à l'œuvre dans les médias. L'idée n'est pas de « partir en guerre » contre les médias, mais bien de nouer un partenariat avec eux afin de faire émerger des indicateurs de suivi des stéréotypes adaptés à chaque type de médias. La Commission Reiser propose ainsi que chaque média identifie en son sein un correspondant, qui serait en charge du dialogue avec l'instance de réflexion.

Mais la mission la plus essentielle des pouvoirs publics est, bien entendu, celle de la sensibilisation à la question de l'image des femmes et ce, dès le plus jeune âge. La convention interministérielle pour la promotion de l'égalité entre les filles et les garçons (2006-2011) dit s'engager à « intégrer dans les enseignements dispensés, la thématique de la place des femmes et des hommes dans la société » à travers quelques objectifs-clés :

- Développer la thématique de l'égalité entre les sexes dans les divers enseignements.
- Valoriser le rôle des femmes dans les enseignements dispensés.
- Inciter les professionnels de l'édition à renforcer la place des femmes dans les manuels scolaires et écarter tout stéréotype sexiste de ces supports pédagogiques.
- Mettre en place des actions de sensibilisation aux stéréotypes sexistes véhiculés dans les médias.
- Développer dans les établissements d'enseignement supérieur et de recherche les études et recherches sur le genre.

Il s'agit désormais de transformer ces objectifs louables en réalités concrètes. Car le fait est qu'aujourd'hui, la valorisation du rôle des femmes dans les enseignements – de l'Histoire notamment – est pour le moins discrète. De la même façon, les cours de sensibilisation aux stéréotypes médiatiques se doivent de devenir véritablement obligatoires.

Par ailleurs, l'engagement des pouvoirs publics français en faveur d'une autre image de la femme dans les médias doit également se faire en prenant appui sur les bonnes pratiques mises en œuvre au sein de l'Union européenne. L'institut européen pour l'égalité entre les hommes et les femmes, basé à Vilnius, est une agence européenne chargée précisément de développer des outils méthodologiques et de faciliter le dialogue entre acteurs européens sur cette question : la France doit y prendre toute sa part.

Enfin, les pouvoirs publics doivent pouvoir soutenir, financièrement comme en termes de visibilité, toutes les actions de la société civile en faveur d'une image renouvelée de la femme. Des associations comme *Vox Femina* se proposent par exemple d'accroître la visibilité médiatique des femmes reconnues dans le monde des affaires, en menant des actions de lobbying auprès des médias pour que leurs voix soient entendues. L'État pourrait nouer des partenariats avec de telles associations, en décernant des prix annuels du type « Genre et médias » qui viendraient récompenser les meilleures pratiques médiatiques en termes d'équilibre des genres.

Conclusion

Nous avons montré en quoi l'image des femmes diffusée par les médias d'information constituait une inégalité qui, bien que peu souvent mise en avant, n'en restait pas moins majeure. Mais nous avons également constaté combien il était délicat d'infléchir les processus qui menaient aux représentations médiatiques stéréotypées des femmes. La dictature de l'urgence et le poids des routines brident en effet les journalistes dans leur capacité à s'affranchir de la *doxa* en vigueur.

Cela étant, parce que nous pensons avec Antonio Gramsci qu'« *il faut allier le pessimisme de l'intelligence à l'optimisme de la volonté* », il est certain que des solutions structurelles et de long terme existent face au problème que nous avons constaté. Certes, les représentations médiatiques ne se changent pas par décret. Agir sur elles suppose de l'obstination, de la patience ainsi qu'une vigilance jamais achevée. Mais les chemins à emprunter pour changer la donne sont tracés : il ne reste plus qu'à bien vouloir les prendre.

Pour ce faire, il s'agit de convaincre l'ensemble des acteurs concernés par la question que le combat pour une représentation médiatique équilibrée, loin de s'apparenter à une guerre des sexes ou à une croisade contre les médias, vise « simplement » à renouer avec un journalisme éthique et exigeant avec lui-même. Cette lutte est absolument vitale, car comme l'écrivait Albert Camus dans son journal clandestin *Combat*, « *un pays vaut souvent ce que vaut sa presse* ». Dès lors, poursuivait-il, « *si nous faisons que cette voix demeure celle de la fière objectivité et non de la rhétorique, de l'humanité plutôt que de la médiocrité, alors beaucoup de choses seront sauvées et nous n'aurons pas démérité* ».

Annexe 1 : Interview de Natacha Henry (03/05/11)

Essayiste, ancienne présidente de l'Association des Femmes Journalistes

Clara Bamberger : Natacha Henry, bonjour. Vous enseignez l'écriture journalistique et les questions de genre. Vous formez régulièrement des journalistes à l'amélioration du traitement hommes/femmes dans la presse. Que leur dites-vous essentiellement ?

Natacha Henry : Je leur dis qu'il faut, dans leurs papiers comme dans leurs reportages, tendre vers la parité absolue. Qu'ils fassent un reportage sur un hôpital, une école ou un événement quelconque, les journalistes doivent veiller à ce que l'équilibre des genres soit respecté. Ce n'est pas un objectif évident à atteindre, car les hommes se mettent plus facilement en avant, les femmes ayant intériorisé le manque de compétences que la société leur assigne. Les journalistes vont donc naturellement vers la solution de facilité, dans le contexte d'urgence qui est le leur. Il faut donc qu'ils prennent toujours le réflexe de prendre les devants et qu'ils parviennent à créer les conditions pour aussi interviewer les femmes. Encore hier, je regardais un débat télévisé sur la mort de Ben Laden. Pas une femme sur le plateau ! Et qu'on n'aille pas me dire qu'il n'existe pas une seule spécialiste des questions géopolitiques !

C. B. : Les écoles de journalisme ont donc une responsabilité éminente dans la sensibilisation de leurs étudiants aux questions de genre. L'assument-elles ?

N. H. : Absolument pas ! Ces écoles sont totalement dans une bulle. L'enseignement est entièrement tourné vers les savoir-faire techniques, mais la notion de responsabilité sociale du journaliste n'y est pas du tout inculquée…

C. B. : C'est un tableau assez sombre que vous nous dépeignez…

N. H. : Il y a quelques points positifs… On sent un mouvement de sensibilisation à la question des femmes dans ces écoles qui commence à frémir… Par ailleurs, dans les médias eux-mêmes, on remarque des progrès. Il faut voir d'où l'on part. Il y a vingt ou trente ans, il était inimaginable de féminiser les noms de métier, de grade ou de titre dans la presse. Grâce à la circulaire Jospin de mars 1998, les médias ont été incités à utiliser le féminin. Et il faut reconnaître qu'ils le font plus qu'avant, même si *Le Figaro* refuse toujours d'appliquer cette règle, par principe…

C. B. : Les efforts effectués par certains médias ne sont-ils pas anéantis par les clichés éculés véhiculés par d'autres ? Je pense notamment à la presse dite féminine…

N. H. : Je dois reconnaître que mon désespoir est total concernant la presse féminine. Ces journaux diffusent une image des femmes qui vient ruiner des siècles de combats progressistes ! On fait croire aux jeunes filles que le pouvoir d'être une femme passe par des rêves d'achats et de consommation… La dimension d'égalité hommes/femmes est en revanche totalement occultée. La philosophie sous-jacente de tous ces magazines, c'est de compenser la faible reconnaissance sociale des femmes par la promotion d'une société de consommation qui leur donnerait l'illusion de détenir enfin le pouvoir… Le drame est que les femmes sont les premières complices de ce phénomène… Mais elles se déculpabilisent – quand elles se sentent coupables – en se disant qu'elles achètent ces journaux « pour se changer les idées »… Et les adolescentes d'aujourd'hui raffolent de Closer…

C. B. : Le féminisme serait-il devenu ringard ?

N. H. : On fait tout pour qu'il le devienne. Mais quand j'interviens dans les collèges, j'aperçois des jeunes plus éclairés qu'on ne se l'imagine. Ce qui est certain, c'est que tant qu'on ne sensibilisera pas les enfants à la question des stéréotypes médiatiques, et ce dans tous les milieux, la situation n'évoluera pas. L'élite journalistique de demain se construit aujourd'hui, dans nos cours d'école ! On a souvent tendance à pointer du doigt les enfants des banlieues, mais veillons aussi à ce que ceux du Quartier Latin ne deviennent pas non plus les machistes de demain, car ce sont surtout eux qui auront les clés du pouvoir...

C. B. : Vous êtes également très sensible à la question des violences faites aux femmes. En quoi les médias d'information ont-ils une responsabilité dans la promotion d'une société non-violente ?

N. H. : Dans les écoles de journalisme, on n'apprend pas du tout aux étudiants à appréhender la notion de faits divers et à faire attention à l'historique d'une situation. Ce qui fait qu'à chaque fois qu'un homme tue sa femme, le journaliste à tendance à invoquer « le crime passionnel », « l'amoureux éconduit », sans même regarder les antécédents du monsieur en question. Et s'il s'agissait plutôt d'un crime « possessionnel » ? On met des histoires d'amour dans n'importe quelle histoire de violence, alors que très souvent, on s'aperçoit que les assassins avaient déjà été condamnés dans le passé. En déshistoricisant les faits divers, on contribue inconsciemment à culpabiliser les femmes : si Monsieur a été violent, c'est d'abord parce que Madame l'a quitté. Alors que Monsieur est en fait intrinsèquement violent.

C. B. : Tout ceci est très subtil...

N. H. : Raison de plus pour l'enseigner !

Clara Bamberger : Claire Fitoussi, bonjour. Vous travaillez à la matinale d'Europe 1. En quoi consiste précisément votre travail ?

Claire Fitoussi : Je suis en charge de rédiger l'interview quotidienne que réalise l'animateur d'Europe 1. Ce peut être l'interview d'une personnalité politique, économique, culturelle... Je dois également réaliser quotidiennement un montage audio de tous les messages des auditeurs que nous recevons sur le répondeur d'Europe 1.

C. B. : Qu'en est-il de la féminisation à Europe 1 ? Est-elle réelle ?

C. F. : Oui, au niveau des journalistes « de base ». Mais vous vous doutez bien que plus on monte dans la hiérarchie – animateurs, rédacteurs en chefs –, moins on les voit. Même s'il faut reconnaître qu'Arlette Chabot est depuis peu la nouvelle directrice de l'information.

C. B. : Justement, Arlette Chabot a-t-elle souhaité, par rapport à son prédécesseur masculin, donner une nouvelle approche en termes de représentation des femmes sur les ondes ?

C. F. : Honnêtement, je n'ai remarqué aucune différence sur ce plan-là... Il n'y a pas davantage de personnalités femmes interviewées. Ou si tel est le cas, ce n'est que le fruit du hasard, mais ça ne correspond pas à une directive de sa part.

C. B. : Le fait qu'une femme soit à la tête de l'information vous motive-t-il personnellement, dans votre propre carrière ?

C. F. : Je n'oublie pas qu'il s'agit de l'arbre qui cache la forêt. Mais je vous mentirais si je vous disais que ça ne me faisait pas plaisir, en tant que femme, de voir « l'une des nôtres » au sommet. Il ne s'agit pas de faire preuve d'un quelconque communautarisme, mais le monde du journalisme est si difficile et si précaire – pour tous mais pour les femmes en particulier – que c'est évidemment gratifiant de voir certaines d'entre elles reconnues au plus haut niveau.

C. B. : Avez-vous l'impression d'une information « sexuée » sur Europe 1 ?

C. F. : Parfois, clairement. Il m'arrive très souvent de réaliser des interviews de footballeurs et autres rugbymen, en sachant pertinemment qu'elles n'intéresseront pas la moitié – au grand minimum – de ceux qui nous écoutent... Il y a en revanche très peu d'émissions mettant en avant les thèmes de la vie des femmes, et qui évoquent par exemple la difficile articulation entre vies de travail et de famille.

C. B. : Ce parti pris masculin se retrouve-t-il dans le discours même des journalistes à l'antenne?

C. F. : Tout à fait. Prenez les émissions où les chroniqueurs – on cherche encore les chroniqueuses – débattent de politique. Vous remarquerez qu'à chaque fois qu'ils évoquent une personnalité féminine, ils l'évoquent par son seul prénom : on parle de « Ségolène », de « Martine », voire de « Marine ». Mais vous constaterez qu'on ne dit jamais « Dominique », « François » ou « Nicolas »...

C. B. : D'où viendra, selon vous, la solution à une information équilibrée du point de vue de la représentation des genres ?

C. F. : Je pense que la grande erreur – et beaucoup la commettent – est de s'imaginer qu'une femme dirigeante sera forcément plus féministe que son homologue masculin et qu'elle favorisera de ce fait une représentation médiatique plus favorable aux femmes. Je ne crois pas que la solution viendra d'en haut. Comme toujours, ce sont d'en bas que viennent les révolutions. Ce qui compte, c'est vraiment que tous les journalistes soient conscients de leur responsabilité à l'antenne de ne pas renforcer les stéréotypes. Et pour cela, la seule solution, c'est qu'on leur ait appris au préalable quelques règles simples. Aux écoles de journalisme de faire leur travail et aux médias eux-mêmes, en instaurant des modules de formation continue ! Et qu'on ne nous dise pas qu'il n'y a pas assez d'argent ! Je n'ai pas l'impression que les animateurs stars de la fréquence se plaignent de leurs salaires… L'argent, tout le monde s'accorde pour dire qu'il y en a. Là où le désaccord naît, c'est, comme toujours, sur la façon de le répartir…

Bibliographie

BARBER Masha, RAHAULA Ann, « Getting the Picture : Gender Representation on Canadian Television Networks during the Lead Up to the 2006 Federal Election », communication au colloque « Genre, journalisme et presse écrite », IEP de Rennes, 14-15 mai 2008.

BERTINI Marie-Joseph, *Femmes, le pouvoir impossible*, Fayard, Paris, 2002.

BERTINI Marie-Joseph, *Ni d'Ève ni d'Adam, Défaire la différence des sexes*, Max Milo Editions, Paris, 2009.

BOURDIEU Pierre, *Le Sens pratique*, Éditions de Minuit, Paris, 1980.

DAMIAN-GAILLARD Béatrice, FRISQUE Cégolène, SAITTA Eugénie (sous la dir. de), *Le journalisme au féminin : assignations, inventions, stratégies*, coll. « Res publica », Presses Universitaires de Rennes, 2010.

DELORME Nicolas, RAUL Pauline, « Production féminine et domination masculine dans le sous-champ du journalisme sportif », 3ème Congrès de l'Association Française de Sociologie, Paris (France), Université Paris Diderot, 14-17 avril 2009.

FASSIN Didier, FASSIN Eric (sous la dir. de), *De la question sociale à la question raciale ? Représenter la société française*, Paris, La Découverte, Cahiers libres, 2006.

GEERTZ Clifford, *The Interpretation of Culture*, Basic Books, New York, 1973.

JODELET Denise, *Les Représentations sociales*, PUF, Paris, 1999.

LATOUR Bruno, *Politiques de la nature : comment faire entrer les sciences dans la démocratie ?* Éditions de la Découverte, Paris, 1999.

LOFGREN-NILSSON Monica, « Le genre en pensées et en actes : le cas des informations télévisées suédoises », in DAMIAN-GAILLARD Béatrice, FRISQUE Cégolène, SAITTA Eugénie (sous la dir. de), *Le journalisme au féminin : assignations, inventions, stratégies*, coll. « Res publica », Presses Universitaires de Rennes, 2010.

MACE Eric, A*s seen on TV, les imaginaires médiatiques, une sociologie post critique des médias*, Editions Amsterdam, Paris, 2006.

NEVEU Erik, *Sociologie du journalisme*, Éditions La Découverte, Paris, 2009 (3ème édition).

RANCIERE Jacques, *Aux bords du politique*, Paris, Gallimard, Folio Essais, 1998.

REISER Michèle, GRESY Brigitte, *L'image des femmes dans les médias*, La Documentation française, 2008.

SEARLE John, *La construction de la réalité sociale*, Gallimard, Paris, 1998.

SCHOPENHAUER Arthur, *Le monde comme volonté et comme représentation*, PUF, Paris, 1966.

RAPPORTS ET SYNTHÈSES

Baromètre de confiance dans les médias de TNS Sofres (2011) :
http://www.tns-sofres.com/points-devue/FBABA80031284B66BE443C21CFADABBA.aspx

Chiffres-clés de l'égalité entre les femmes et les hommes, Ministère du Travail (2009) :
http://www.solidarite.gouv.fr/IMG/pdf/Egalite_-_chiffres-cles_2009.pdf

Enquête sur la place et l'image de la femme dans les médias (2006) :
http://www.femmes-journalistes.asso.fr/rubrique.php3?id_rubrique=2

Projet mondial de monitorage des médias – rapport mondial (2010):
http://www.whomakesthenews.org/images/stories/website/gmmp_reports/2010/global/gmmp_global_report_fr.pdf

Projet mondial de monitorage des médias – rapport national France (2010):
http://www.whomakesthenews.org/images/stories/restricted/national/france.pdf

Rapport d'information n° 375 de Mme Gisèle Gautier fait au nom de la délégation aux droits des femmes (2007) :
http://www.senat.fr/rap/r06-375/r06-375.html

Table des matières

L'HARMATTAN, ITALIA
Via Degli Artisti 15; 10124 Torino

L'HARMATTAN HONGRIE
Könyvesbolt ; Kossuth L. u. 14-16
1053 Budapest

ESPACE L'HARMATTAN KINSHASA
Faculté des Sciences sociales,
politiques et administratives
BP243, KIN XI
Université de Kinshasa

L'HARMATTAN CONGO
67, av. E. P. Lumumba
Bât. – Congo Pharmacie (Bib. Nat.)
BP2874 Brazzaville
harmattan.congo@yahoo.fr

L'HARMATTAN GUINÉE
Almamya Rue KA 028, en face du restaurant Le Cèdre
OKB agency BP 3470 Conakry
(00224) 60 20 85 08
harmattanguinee@yahoo.fr

L'HARMATTAN CAMEROUN
BP 11486
Face à la SNI, immeuble Don Bosco
Yaoundé
(00237) 99 76 61 66
harmattancam@yahoo.fr

L'HARMATTAN CÔTE D'IVOIRE
Résidence Karl / cité des arts
Abidjan-Cocody 03 BP 1588 Abidjan 03
(00225) 05 77 87 31
etien_nda@yahoo.fr

L'HARMATTAN MAURITANIE
Espace El Kettab du livre francophone
N° 472 avenue du Palais des Congrès
BP 316 Nouakchott
(00222) 63 25 980

L'HARMATTAN SÉNÉGAL
« Villa Rose », rue de Diourbel X G, Point E
BP 45034 Dakar FANN
(00221) 33 825 98 58 / 77 242 25 08
senharmattan@gmail.com

L'HARMATTAN TOGO
1771, Bd du 13 janvier
BP 414 Lomé
Tél : 00 228 2201792
gerry@taama.net

544632 - Octobre 2013
Achevé d'imprimer par